KB103973

봄과 여름 사이2

일상애愛say

봄과 여름 사이 2

일 상 애 愛 say

발 행 | 2024년 5월 31일

저 자 | 문미영, 성정순, 윤수영

기 획 | 손유진, 이주희

펴낸이 | 한건희

펴낸곳 | 주식회사 부크크

출판사등록 | 2014.07.15.(제2014-16호)

주 소 | 서울특별시 금천구 가산디지털1로 119 SK트윈타워 A동 305호

전 화 | 1670-8316

이메일 | info@bookk.co.kr

ISBN | 979-11-410-8700-5

www.bookk.co.kr

봄과 여름 사이 2

문미영, 성정순, 윤수영 지음

CONTENT

이주희가 본 일상애(愛)say

초록빛 너울, 향긋한 바람, 달근한 온도에 떠 다니는 두리뭉실 뭉게구름.
5월은 그런 의미에서 내가 가장 애정하는 달이다. 좋아하면 굳이 은유하지 않아도 생각나는 단어들과 절로 표현되는 미소와 사랑으로 대변된다.

가장 사소하고 무심할 수 있는 일상에 우리는 얼마나 애정을 담으며 살아갈까. 바쁜 삶속에 일상까지 들여다 보며 보듬고 안고 살기엔 여유가 없겠지만 다른 시선으로 바라만 봐도 꽤나 의미있고 가치있는 삶의 일부이다.

아이들과의 하루가 정신없이 지나가도, 다시는 오지 않을 소중한 시간이고, 지옥같은 출퇴근길에 지친 일상도 내가 살아 숨쉬고 있음을 느낄 수 있는 삶의 한 조각 되어준다. 반복되는 일상이 무료하기도 하지만 다르게 생각해보면 나만의 작은 여유일 수도 있고 늘 먹는 음식, 늘 만나는 사람도 조금만 다른 시선으로 바라보면 정성 가득한 맛있는 음식에 세상에서 가장 감사한 사람일 수 있다.

무심히 지나쳐서 붙잡을 수 없을 만큼 빠른 시간이지만 깊은 시선으로 잠시 멈춰 바라보면 우리의 일상은 찬란하기 그지 없는 멈추고 싶은 순간들이 된다.

"사소한 것들이 늘어선 별일 없는 나날은
우리 생애 얼마나 잔잔하고 실팍한 근육인가.
매일 특별한 날을 기대하지 말라.
사는 중에 맞는 별일은 얼마나 자극적이고
통렬한 흔적을 남기던가 말이다.
어제 같은 오늘이 걸쳐진 바지랑대에 햇살이 비추고
바람이 부는 속으로 공기처럼 떠다니는 내 곁의 것들을
덤덤하게 보내고 맞이하는 나날,
그 속에서 무심히 호흡하고 웃으며 온전히 감사하는 삶,
그것이 곁에 머무는 사소한 것들에 대한 예의일 것이다.

[세상의 당신들-이수옥]

사소함을 조금 멈추어 바라보면 '그 날'의 '나'는 가장 아름다운 시간속에서 살고있는 가장 가치로운 한 인간이 된다. 빠르게 움직이는 무채색 사람들속에 미소지으며 바라보는 유채색의 나를 발견하는 일. 그렇게 일상에 사랑을 담아 말해보며 사는것은 어떨까? 가다서다 반복되더라도 나아가고 있음에 멋진 나를, 남들과 다른 모습과 성격, 환경에도 나름 나만의 개성이라고 인정해 주며 스스로를 토닥거리는 작은

행동으로 나를 안아보자.

나만 빼고 바라보는 시선에서 나로부터 세상을 바라보는 시선으로 바꿔보면 사랑할 것들이 참 많다. 바쁘다는 핑계로 무심히 지나치지 말자. 우린 사랑하며 살아갈 때 더욱 빛나는 삶을 살게 되니까.

일상에 대한 예의어린 시선, 너무 뜨겁지도 않고 너무 차갑지도 않은 적당하고 은은한 그녀들의 온도, 그 온도 안에서 내뿜는 찬란한 삶의 이야기를 통해 좀 더 가치롭고 소중한 일상을 담고 살아보길 바란다

인독기 북클럽 리더 쥬리

문미영

결혼 8년차 주부이자 브런치 작가.

3번의 유산을 겪어서 마음고생을 하고 좌절을 하였지만 읽고 쓰는 삶에 재미를 들여 매일 책을 읽고 글을 쓰고 있다.

글을 읽고 쓰면서 상처를 치유 받았듯이 다른 사람에게 글로 위로를 드리고 싶다는 마음으로 현재 난임부부들을 위한 개인 저서와 독서에 관한 공저책을 출간 준비중이다.

전자책 <7년차 난임부부입니다>

공저책 <글로 옮기지 못할 인생은 없습니다>

<당신의 이름은 무엇인가요>

문미영 일상애(愛)say

시간이 나서 오는 사람이 아니라, 시간을 내서 와주는 사람

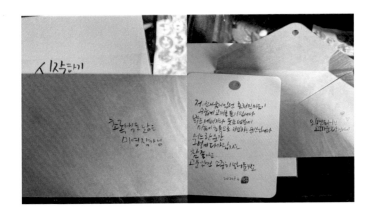

시간이 맞아서 우연히 작가님들과 점심을 먹고 커피를 마시며 수다를
떨고 왔다.
차가 없는 나를 배려해서 우리 동네까지 와주셨다.

9

유산을 했다는 소식을 접하고 마음이 안 좋아서 위로차 와주셨다는 마음 씀씀이만으로도 이미 감동받았다.

표현은 안 해도 서로를 생각하고 배려해 주는 작가님들이 계셔서 행복하다.

낙지볶음을 먹으러 후루룩 손칼국수에 갔다. 맛집이라 조금만 늦으면 웨이팅을 해야 하고 자리가 없는데 다행이었다.

매콤해서 땀을 뻘뻘 흘러가며 쿨피스에 의존하며 먹었다. 맵찔이지만 여기 낙지볶음은 좋아한다.

불 맛이 나서 맛있다.

식당 영수증을 보여주면 근처 날 다방 카페에서 음료 할인을 해준다. 빈티지 카페라는 콘셉트에 맞게 골동품으로 카페를 꾸며놓았다.

작가님들은 "미영 작가는 한번 시작하면 끝을 맺고 끈기가 있다."라며 매일 한 번도 안 빼먹고 글을 쓰는 열정에 감탄을 하신다.

사람들이 칭찬을 해주실 때마다 부끄럽기도 하고 민망하지만 기분은 좋다. 실컷 수다를 떨고 옷 가게에서 쇼핑을 하고 집으로 돌아온다.

작가님을 보니 '시간이 남아서 만나러 오는 게 아니라 시간을 내서 와주는 사람'이 소중하고 더 감사하다는 걸 새삼 느끼게 되었다.

'시간이 남아 만나는 사람이 아니라 시간을 일부러 내서 만나는 사람'이 주변에 있으면 든든할 것 같다.

경기도 화성 드라이브

작년부터 작성하던 개인 저서 초고를 마무리했다. 분량이 생각보다 얼마 되지 않았다.

5개의 소주제로 썼는데도 양이 부족하다.

일단 황 작가님에게 보냈다. 양이 부족하니 시험관 시술 경험이 있거나 겪었던 난임부부들의 인터뷰를 넣어야겠다는 생각을 하고 황 작가님에게 조언을 구했더니 좋은 생각이라 하셨다.

문제는 인터뷰이를 구하는 게 쉽지 않았다.

어제 화이트데이로 사탕과 책 선물을 잔뜩 받고 기분 좋게 하루를 시작한다.

희망도서로 신청했던 김민 작가님의 <지은이에게> 책이 도착했다.

책을 빌리러 간 김에 다른 책도 빌렸다. 읽을 책도 많은데 또 빌리다니 책에 욕심이 많은 나를 이해할 수가 없다.

남편이 일찍 퇴근한다고 한다. 글 쓰고 책 읽고 할 게 많았는데 남편이 온다니 반갑지 않다.

남편이랑 시외조부모님 산소에 간다.

산소가 화성에 있어서 넷째 이모님에게 전화를 한다.

우리가 가면 같이 가고 싶다 하신다.

이모님에게 과일과 북어포, 소주, 병 커피를 준비해달라 부탁한다.

가는 길에 천안휴게소에 들러 어묵 가락국수와 라면을 먹는다.

분명 어묵 가락국수인데 유부만 가득하고 어묵이 보이질 않는다. 먹은 기억이 없다. 어묵 가락국수가 유부 가락국수보다 1000원 더 비싼데.

남편이 직원에게 다가간다.

어묵이 없다고 하니 안 넣은 줄 몰랐다며 어묵꼬치 하나를 통째로 주신다. 손님도 별로 없는데 잊어버릴게 따로 있지. 화내지 않고 그냥 좋게 넘어간다.

호두과자를 좋아하는 나는 천안에 왔으니 호두과자를 산다.

한 봉지에 3000원이다. 슈크림 호두과자는 4500원이다.

시이모님 댁에 도착한다. 이모님이 내려오신다.

그나마 나랑 많이 보고 조카며느리라고 이뻐해 주셔서 편하다.

다리가 아파서 산소에서 절은 안 하고 묵념만 한다.

배랑 사과 감을 다 깎아서 먹는다.

화성에 온 김에 카페를 가보려고 검색을 한다.

남편이 찾은 카페와 내가 찾은 카페는 다르다.

내가 검색한 "혜경궁 카페"로 간다.

이모님도 한옥 카페라 마음에 든다고 하신다.

평일이라 그런지 손님도 많지 않고 빵 종류도 많지 않다.

소금 빵 명장이라고 해서 소금 빵과 몽블랑을 고른다

시그니처인 혜경궁라떼와 엉겅퀴라떼를 주문한다.

점원이 썩 친절하진 않다.

엉겅퀴 라떼는 많이 안 달고 향도 좋다고 이모님의 평이 좋다.

혜경궁라떼는 대추랑 계피가루가 들어가서 특이하다.

벚꽃슈페너를 마실걸. 미처 못 봤다.

음료값이 다 비싸다. 실내 인테리어도 멋지지만 야외에도 넓고 구경거리가 많다. 결혼식장도 있고 가방과 신발 모자 파는 가게도 있다. 커피랑 빵을 먹고 구경하면서 사진을 찍는다.

저녁에 이모님이랑 능이버섯오리백숙과 능이버섯전, 능이버섯 만두를 같이 먹고 이모님 댁에 모셔다드린다. 대전에 오니 한밤중이다.

산소에 가는 건 귀찮지만 가는 길에 카페나 맛집을 가고 드라이브 가는 기분이라 즐겁다.

1차로 대동집에서 오돌뼈와 주먹밥세트를 먹었다.
이미 남편은 소주 2병을 먹고 취해있던 상태다.

2차로 새로 생긴 오뎅오색에서 라조기와 무알콜 모히또 하이볼을 먹었다. 남편이 화면 터치를 잘못해서 음식 하나와 모히또 하이볼을 추가로 주문했다. 음식 하나는 취소하고, 모히또는 이미 만들어주셔서 취소할 수 없었다.

다음에는 남편이 오뎅을 시키자고 한다.
집으로 오는 길에 새로 생긴 달려라족발 가게가 보인다.
1인분(혼족)이 7000원이고 2인분이 25000원밖에 안한다며 남편이 사자고 한다.
배부른데.. 남으면 내일 먹어도 된다고 우긴다.
남편은 마트에 들러 소주 1병을 추가로 사오고 족발을 좀 먹더니 잠이 들었다.
다음날 아침 하루 종일 누워있다가 남편이랑 지족초등학교 운동장을 5바퀴 걸었다.

걸으니 좀 낫다. 걷다가 옆 동네까지 또 걸었다.

텐동을 먹고 싶다고 했더니 남편이 텐동가게로 앞장선다.

스페셜 텐동과 우삼겹명란덮밥을 주문했다.

명란덮밥은 좀 매콤하지만 맛있다.

텐동은 튀김이 맛있다.

간신히 8시 좀 전에 들어와서 황 작가님 글쓰기 줌 강연을 들었다.

택배보내고 영어공부 하고 서평단책 읽기

지지난 주에 책 나눔 이벤트를 했다.

6명이 신청하셨고, 그중 3명의 책을 착불로 보내드렸다

매번 집 앞 cu 편의점에서 책을 보냈는데

내가 일일이 주소를 입력해야 하고 배송도 오래 걸려서 우체국까지

운동 삼아 좀 걸어갔다

생각보다 책이 무겁지 않아서 가능했다.

개인 저서 인터뷰이가 총 4분 모집되었다

그중 한 분이 벌써 인터뷰에 대한 답변을 보내주셨다

조금 다듬어서 초고에 작성했다.

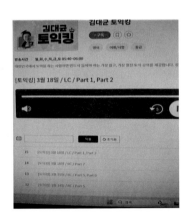

영어공부를 이번 달부터 시작했다.

ebs 라디오 김대균 토익킹을 들으며 문제를 푼다.

밀린 서평단 책을 읽기 시작한다.

괜한 욕심을 부려 서평단 책이 쌓여있다.

빨리 읽어달라고 아우성이다.

원래 카페에서 책을 읽으려고 했는데 왔다 갔다 시간도 걸리고 , 류마 티스 때문에 온 몸이 아파서 집에서 읽는다. 역시 집에서는 집중이 안 된다. 그래도 오늘 하루는 알차게 보냈다.

경주에 추억을 싣고

남편이 경주에 출장을 가야 할 일이 생겼다. 내가 경주를 좋아한다는
걸 아는 남편이라 같이 가자고 먼저 제안을 한다. 차도 따로 타고 가
니 드라이브 삼아.

남편은 수원에서 학창 시절을 보냈지만 경주 월성 발전소에서 7년간
근무해서 경주에 살았다.

나도 학교를 경주에서 다녔고 경주에서 데이트도 했고 대전으로 이사
오기 전 3개월 정도 경주 사택에서 살았다. 게다가 결혼식 하기 전
상견례도 경주에서 했다.

그래서 우리 부부에게는 경주에 추억이 많다.

출장지 근처인 대릉원의 교동면옥에서 비빔물냉면을 먹는다.

오픈한지 몇 분 지나지 않아 우리가 첫 손님이었고 그 뒤로 손님이
줄줄이 들어왔다.

밥을 먹고, 황리단길을 구경한다. 황리단길에서 십원빵을 먹고 나온다. 기와로 멋있게 지어진 카페에 들어갔는데 사장님이 안 계신다.

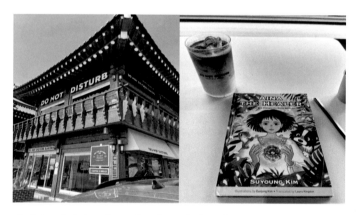

아쉬운 마음을 뒤로 한 채 두낫디스터브 카페로 간다. 포항이 본점인 카페인데 경주에 있어 반가웠다. 카페에서 아이스 카페라테를 마시며 책을 읽고 있는데 학생들의 대화 소리가 들린다. "포항 시청은 11층 까지 있다."라고 한 여학생이 자랑을 한다.

그러자 다른 남학생이 "세종 시청은 8층까지인가 있던데." 20대들의
대화를 듣고 있으니 귀엽다.

영어동화책을 읽으면서 감동을 받는다. 해피엔딩으로 끝나서 그런거겠
지. 마이클잭슨의 "Heal the world." 노래가 떠오른다.

두낫디스타브 가기 전 냉면 가게 옆에 있던 스벅에 잠깐 들어갔을 때
봤던 '액막이 텀블러 백'이 아른거린다. 하도 임신이 안되어 액막이
장식품을 사려고 검색했는데 마침 스벅에 있다니. 그것도 일부 매장에
서만 한정적으로 판다.

두낫디스타브 매장을 나와서 10분 정도 걸어간다. 차로 갈 땐 금방인
거 같았는데 의외로 스벅까지 멀다. 남은 기프티콘과 카드로 구매를
하고 돌체 라테를 주문한다.

자리에 앉아서 벌거벗은 한국사 서평단 책을 펼치려는데 남편에게 전
화가 온다.

"회의 끝났어. 스벅으로 갈게 나와."
테이크아웃 잔으로 변경해달라 하고 남편을 기다린다.

경주에 온 김에 인친님이 추천해 준 '덕숭사'로 간다.
조용하고 아담한 절인데 문이 다 닫혀있다. "스님 쉬시는 시간인가?"
하며 남편이 문고리를 당기는데 잠시 후 비구니 스님이 나오신다.
"절하러 왔는데요."

"아 들어오세요."

"죄송합니다. 쉬시는데."

"아니에요."

남편과 조용히 절을 올린다.

소원을 비는데 스님이 웃으면서 말을 거신다.

참 인상이 곱고 좋으시다.

"어디서 오셨어요?"

"대전이요."

"멀리서 오셨네요. 멀리서 오셨으니 과일이라도 좀 드려야겠네."

보살님이 과일이랑 떡이 담긴 가방을 주신다.

"떡은 녹여서 드세요." 라는 말을 하신다.

"아 저희가 절을 좋아해서 기림사, 굴곡사 이런 큰 절만 다니다가 누가 가보라고 추천해 주셔서 왔어요."

"그러셨군요."

"제가 또 포항이 고향이라 경주에 자주 왔어요."

"아 그렇군요. 다음에 "덕숭사 가는길" 카페가 있어요. 구경해 보세요."

보살님과 스님이 한마디 하신다.

"젊은 분들이 절에도 오고 착하시네요. 너무 보기 좋아요. 감사해요."

"아, 저희 부모님도 불교 신자이고 저도 절 좋아해요." 라고 대답한다.

남편도 나도 절을 좋아해서 그건 잘 맞다.

기분 좋게 간식을 받아서 절을 나온다.

남편이 대전으로 올라가기 전 모교를 가자고 한다.

본인 모교인 충남대에도 자주 갔으니.

2018년 겨울방학 때 토익 강사 하느라 동국대에 왔었는데 6년 만에 다시 온다.

내가 자주 먹었던 돈가스를 먹으러 경상대 건물 '진흥관'에 간다.

돈가스 5200원에 계란 프라이 (500원) 추가해서 가성비 좋게 먹는다.

남편이 가격도 싸고 맛도 괜찮다며 만족한다.

학생식당이라 가성비가 좋다.

내가 학교 다닐 땐 2500원인가 3000원이었는데 조금 올랐지만 그래도 싸다.

배부르게 먹고 학교 추억 이야기를 하며 차에 탄다. 원래는 학교 안에 정각사 라는 절이 있어서 남편이 가보고 싶다 했는데 늦어서 다음을 기약한다. 불교 학교라 정이 남아 있는 거 같다.

남편 출장 따라왔지만 나도 추억 여행하고 드라이브 온 기분이라 피곤하지만 기분은 좋다.

도여사님도 만나고 떡볶이도 먹고

나랑 같이 난임 에세이 출간을 준비 중이신 민선미 작가님이랑 도 여
사님 떡볶이 가게에 다녀왔다.
떡볶이 세트랑 커피까지 마시고 책 구경하였다.

출판에 대한 팁들을 알려주셔서 많이 배웠다.
선미 작가님이 박웅현 작가 <책은 도끼다>랑 <여덟 단어> 빌려주시
고 도 여사님이 책을 선물로 주셨다.
도여사님은 <떡볶이 팔면서 인생을 배웁니다> 책을 쓰신 작가이기도
하고 세바시에서 강연도 하셨다. 그리고 KBS 아침마당 대전 방송에
도 출연하실 정도로 유명인사이다.
책을 출간하고 방송에 출연한 이후로 떡볶이 가게 손님이 더 늘어났
다고 한다.

고현정 립밤으로 유명한 립밤 사러 신세계 백화점 쇼핑 후 남편 만나러 일찍 헤어졌다.

하필 놀러 나왔을 때 남편이 일찍 퇴근하다니. 아침마당 방청객 돈도 입금되고, 남편이 문화상품권도 받아오고 기분 좋은 하루다.

은유작가님 영접하는 날

금요일 저녁 7시 30분에 은유 작가님이 온다는 '다다르다' 서점 피드를 우연히 보았다.

은유 작가님 팬인 선미 작가님에게 소식을 전달했다. 선착순 입금이라 선미 작가님이 바로 신청을 하셨다.

나는 금요일 저녁이라 남편의 눈치가 보여 고민만 하고 있었다.

취미생활을 하더라도 남편이 없는 시간에 해야 하는데 평일 저녁이라...

그래도 선미 작가님이 같이 가자고 '해방의 밤' 책을 선물로 보내주셨는데 안 가는 건 예의가 아닌 거 같았다.

결국엔 며칠이 지나서 신청을 하였고 다행히 순위 안에 들었다.

선미 작가님이 선하 작가님에게도 전달을 해서 그렇게 우리는 셋이서 함께 하였다.

일단 남편이 통풍 진료가 있어서 충남대병원에 가는 날이다. 깜빡했다.

선미 작가님이랑 만나서 같이 가기로 했는데.

할 수 없이 북토크가 있는 서점 근처인 성심당 본점에서 만나기로 한다.

은유 작가의 해방의 밤을 읽고 남편 회사 앞으로 간다. 갑자기 강풍과 함께 비가 세차게 내린다. 나 원피스 입고 와서 추운데...

남편이 채혈하기를 기다린다.

채혈을 하고 늦은 점심을 먹으러 광천식당으로 간다.

저번부터 두부두루치기가 맛있다는 말을 듣고 가보고 싶었다.

남편이 오징어 두루치기가 맛있다고 그걸 먹자고 한다. 오징어랑 국수를 시킨다.

어제 저녁엔 낙지볶음을 먹었는데

맛이 별로다. 기대를 많이 해서 그런가.

차라리 어제 먹은 낙지볶음이 낫다.

양은 많다. 매워보였는데 의외로 맵찔이인 나도 먹을만하다.

그렇게 남편과 점심을 먹고 남편이 은행동에 내려준다.

비가 그쳤다가 내가 차에서 내리니 다시 비가 내린다.

오랜만에 다다르다 서점에 들어간다.

은유작가님 책으로 전시되어있다.

근데 여기서 행사를 하는 게 아니라 근처 2호점 (카페)에서 한다고
알려주신다. 일단 책 구경하고 사고 싶었던 김창완 <찌그러져도 동그
라미입니다> 에세이랑 박연준 작가의 <듣는 사람> 을 구입한다. 은
유작가님 책을 사야 하는데..

빽다방 기프티콘을 쓸 겸 들어가서 <해방의 밤>을 마저 읽는다.

선미 작가님이 오신다. 둘이 이야기하면서 선하 작가님을 기다린다.

작가님들이랑 다다르다 서점에서 책을 좀 읽다가 저녁 먹으러 나온다.

스마일칼국수에서 칼국수랑 비빔 칼국수 그리고 김밥을 시킨다.

<눈물 나는 날에는 엄마> 선하 작가님이랑 나는 김밥을 좋아한다. 좋아하는 음식이 같아서 좋다.

7시 30분에 시작인데 밥 먹으며 수다 떨다보니 7시 20분즈음에 도착한다.

은유작가님 실물을 드디어 본다.

나이에 비해 젊어보이시고 이쁘시다.

대전역에서 걸어오시는 길에 떡볶이가 보여서 먹고 싶었는데 이미 서울역에서 밥이랑 빵을 드셔서 못 먹어 아쉽다는 말로 이야기를 시작하신다.

진행자가 책의 내용을 기반으로 매끄럽게 진행을 잘하신다.

1부를 재미있게 듣고 쉬는 시간 후 2부를 진행한다.

글을 잘 쓰시는 분이 말씀도 재미있게 잘하신다. 글을 잘 쓰는 비법도 공유해주신다.

글을 잘 쓰려면 사람 관찰을 잘해야 한다고 한다. 그리고 일기라도 괜찮으니 꾸준히 쓰는 습관을 들이라고 하셨다.

역시 작가님들의 공통된 의견은 글은 자주 써야 한다는 것이었다.

책을 그나마 읽고 가서 조금 편했다.

그리고 현장에서 질문을 받고 엽서에 적어오신 독자들의 질문에 답변해주신다.

9시 30분 정도에 단체 사진을 찍고 한 명씩 사인을 해주신다.

선하 작가님은 은유작가님에게 본인 책을 드린다.

나도 공저책과 개인책을 올해 출간할 계획이라 말씀드리며 도움이 많이 되는 강의였다고 한다.

인독기 작가 초청 줌 토크 이야기를 꺼내려고 했는데 왠지 온라인 참여는 안 하실거 같아서.

"혹시 온라인 강의는 하시나요?"라고만 물어봤다.

작가님은 만약에 하게 된다면 피드에 알릴 거라는 대답만 하셨다.

은유작가님의 다른 책도 읽어보고 싶어졌다.

<글쓰기 상담소>랑 <글쓰기의 최전선>만 읽어본거 같은데.

책만 많이 읽으신 전업 주부였던 작가님이 이제는 다작을 하신 유명 작가가 되기까지 정말 힘드셨을건데.. 나도 동기부여 받아 열심히 써야겠다.

상반기에 개인저서 출간을 목표로 해야지.

인사를 잘하면 점수를 딴다.

아이폰 15 플러스를 구매한지도 5개월이 좀 지났다. 요금제 필수로 우주 패스에 가입했는데 3개월이 지나면 해지해도 된다고 했다.

해지를 안 하니 매달 배스킨라빈스 7000원 기프티콘이 문자로 날라온다. 우주 패스 활용도 안 하는데 매달 요금 나가는 게 아까워서 해지를 하려고 고객센터에 전화를 걸었다.

친절한 상담원 덕분에 쉽게 해지를 하고 마무리 인사로 "감사합니다. 행복한 하루 보내세요."라고 하시길래 나도 "감사합니다. 좋은 하루 보내세요."라고 답변했다.

그랬더니 상담원이 감동을 받았는지 "아유 좋은 말씀 감사합니다."라고 한다. 그냥 인사 한 마디 했을 뿐인데 상담원이 좋아하시니 나도 기분이 좋았다.

[Web발신]
어렵게 시간내시어 연락 주셨을텐데 저보다 더 친절하게 문의 해 주셔서 감사합니다. 문의주신 내용 정확하게 처리 해 드렸습니다. 저희 sk텔레콤을 이용하시다가 궁금하신 사항 있으시면 언제라도 114전화하셔서 버튼식 ARS1번-> 상담사 연결 0번 누르면 연결이 빨리되오니 필요하신 사항 있으실시 연락주시면 책임지고 도움드리겠습니다. 새롭게 시작하는 4월!! 좋은 일만 가득한 4월 되시길 응원합니다^^
[고객님 전담 상담매니저 올림]

그러곤 몇 시간 정도 후에 문자가 왔다.

고등학교 때 나는 선생님들께 인사를 잘하는 학생으로 유명했다. 선생님들을 만날 때마다 웃으면서 인사를 했다.

회사에 다닐 때도 상사분들과 선배, 동료들에게 밝게 인사를 하려고 노력했다.

사회생활을 해보니 인사를 잘하고 미소를 잘 짓는 사람을 싫어하는 사람은 없다는 걸 느낀다.

인사를 잘하면 사회생활이 조금 편하고 예쁨 받을 수 있다.

"좋은 하루 보내세요." "덕분에 좋은 하루 될 것 같습니다." 등 사소한 말 한마디와 인사로도 상대방에게 호감을 살 수 있다.

돈 드는 거 아니고 어려운 일이 아니니 내가 먼저 밝게 인사를 건네는 것이 어떨까?

계획 없이 무작정 온 평창 여행

산부인과에서 채혈을 많이 하니 어지럽고 몸 상태가 안 좋다.

남편이랑 자주 먹으러 가던 추어탕 가게에 들른다. 몸보신으로 많이 먹으러 올 만큼 추어탕 맛집이다.

집에 도착해서 누워있는데 남편이 말을 건다.

"어디 가고 싶은데 있어?"

"오빠도 출장 다녀오느라 피곤할 텐데 휴가도 냈으니 좀 쉬어요. (나도 책 좀 읽게)"

"아 그래? 휴가 내고 집에만 있기엔 시간이 아까워서."

그러더니 옷을 챙긴다.

"어디 가려고요?"

"혹시 모르니 챙기는 거야. 놀러 가자."

나에게 계속 물어본다. 위 지방을 갈지 아래 지방을 갈지.

나는 최근에 수원이랑 여주를 다녀와서 아래로 내려가자고 한다.

결정 장애인 우리 남편은 또 한참을 고민한다. 어휴 답답해. 미리 정해놓고 가면 얼마나 편해. 남자가 결정도 못 하고 ...

그러더니 결국 위로 가기로 한다.

강원도 지역을 가고 싶다고 내가 먼저 말을 꺼낸다.

처음엔 속초 아바이순대 마을로 티맵을 찍는다. 거의 4시간이 걸린다.

남편이 강릉으로 목적지를 변경한다.

몇 분 차이 안 난다.

그러다가 결국엔 평창으로 최종 변경한다.

평창도 가보고 싶었던 곳이다.

사실 요즘 유산 한 이후로 제대로 여행을 못가 미안하기도 하고 해서 일본이나 제주도를 검색했다고 한다. 비용이 부담되어서 결국 강원도를 선택했지만 그것마저도 난 고마웠다.

야놀자 앱에서 호텔을 검색하다가 싼 "라마다호텔"을 예약한다.

라마다호텔에 체크인을 하고 배고파서 저녁을 먹으러 한참을 내려간다.

호텔이 산 쪽에 있고 외진 곳이라 주변엔 식당이 없어 20분~30분 정도를 걸어서 내려가야 한다. 산에 눈이 아직 안 녹았고, 날이 겨울처럼 바람이 차고 추워서 놀랐다.

한우 가게에 들어간다. 메뉴판을 보고 비싼 고기 가격에 놀란다. 그래도 왔으니 한참을 사장님에게 물어보고 고민한다.

나는 배고픈데 자꾸 우물쭈물하니 또 성질이 나지만 꾹 참는다. (제발 빨리 결정하라고)

결국엔 새우 살 2인분을 먹고 추가로 고추장삼겹살이랑 비빔 소면과 한우 차돌된장찌개를 주문한다. 된장찌개는 집 된장을 사용해서 그런지 다른 된장찌개랑 색도 다르고 맛이 다르다.

평창 지역화폐를 만들어서 QR코드로 14만 원어치 결제를 한다. 10프로 할인 충전이라 좋다.

맛있게 먹고 호텔까지 또 소화시킬 겸 부지런히 올라온다.

호텔 내 편의점에서 술이랑 과자를 사서 창밖을 보며 또 한잔한다.

강원도에서만 파는 맥주다.

호텔 내 편의점은 외부 편의점보다 더 비싸다.

외국인 무리가 많이 와서 정신없다.

강릉은 평창에서 가까워서 평창 구경하고 강릉에 들렀다가 대전으로 내려올 예정이다.

외국여행이 아닌 게 아쉽지만 그래도 와보고 싶었던 평창이라 이마저도 행복하다.

하필 도어록 고장이라니.

피곤한 몸을 이끌고 집에 들어간다.

비밀번호를 누르려는데 도어록이 작동이 되지 않는다.

배터리 알람도 없었고 분명 강원도로 출발하는 날에도 문이 잘 작동되었다.

남편이 도어록에 적혀있는 전화번호로 전화를 건다.

일단 편의점이나 마트에서 9V 건전지를 사서 임시방편으로 접촉하면 문이 열린다고 알려주신다.

그래도 안되면 다시 전화하라고 하신다.

편의점에서 6500원 주고 건전지를 산다.

어? 아무리 접촉해도 작동이 안 된다. 할 수 없이 다시 전화했더니 온다고 하신다.

20분 정도 기다리니 수리 기사님이 오신다.

혹시 다이소 건전지를 넣었냐고 하신다.

다이소 건전지는 불량이 많아서 전자기기가 잘 고장 난다고 절대 사용하지 말라고 한다.

결국엔 도어록을 다 부순다.

보니까 밧데리 문제는 아니라고 한다.

도어록 자체가 안 좋은 거라고 하신다.

집주인이 리모델링하시면서 아무 업체에 맡기신 거 같다.

전동드라이버 소리가 시끄럽다.

소리가 울려서 괜히 이웃에 민폐를 끼친 거 같아 죄송하다.

도어록 교체는 18만 원인데 열쇠까지 제공되는 도어록은 27만 원에 출장비 5만 원이라고 한다.

남편은 강원도 여행에서 이미 돈을 많이 써서 도어록 교체 비용까지 쓰려니 당황한다. 집주인에게 전화를 해서 상황을 설명한다.

다행히 영수증과 교체 사진까지 보내주면 본인이 수리기사에게 돈 입금하겠다고 하신다.

기사님께서 키와 비상 키, 스마트폰 스티커형 키를 주시면서 듀라셀, 에너자이저 건전지만 사용하라며 다시 한번 주의를 준다.

건전지값 아끼려다가 하마터면 도어록 교체 비용으로 더 나갈뻔했으니 남편이 "소탐대실할 뻔했네."라고 이야기를 한다.

몸이 피곤한데 도어록 때문에 신경을 썼더니 더 피곤해진다

늦은 저녁으로 정육점에서 삼겹살을 사 와서 구워 먹는다.

올해 들어서 참 별일을 다 겪는 중이다.

액땜 제대로 했네 허허

감기에 걸렸을 땐 잘 먹어야 해

남편이 기침을 하고 감기 기운이 있더니 결국엔 내가 옮아버렸다.

코로나도 잘 피해갔는데 감기는 미처 피하지 못했다.

엊그제 기침을 하고 콧물이 나오는 전조 증상이 있었지만 잠깐 쉬다

가 또 무리를 하였다.

남편이 12시에 휴가 쓰고 퇴근한다고 남편 회사 앞까지 오라고 한다.

나는 버스를 두 번 타고 회사에 도착한다.

충남대가 있는 궁동에서 점심을 먹는다.

예약을 안해서 자리가 없어서 못 먹고, 쉬는 날이라 못 먹고 세번째만에 드디어 먹으러 온 아토. 고등어봉초밥, 후토마끼로 든든하게 배를 채우고 동네 이비인후과에 왔다.

며칠 전에 왔었는데 남편은 3일치 약을 다 먹어도 기침이 안 낫고 나는 감기증상이 더 심해졌다. 기침하고 목아프고 가래있고 콧물이 나온다고 했더니 콧구멍과 목구멍 깊숙이 쑤셔넣는다. 그게 더 아팠다.

염증이 심하진 않지만 감기 초기일수록 더 심하다며 약을 많이 처방해주신다. 물약에 알약에 종류만 해도 다섯가지다. 거기다가 체온을 쟀더니 열이 좀 있어서 엉덩이주사를 맞으라고 한다. 감기기운있어도 아이스 바닐라라떼를 먹은게 화근이다. 감기 때문에 몸이 뜨거우니 찬 음료로 열을 낮추려다가 더 아프다. 얼죽아는 아무나 하는 게 아닌듯. 주사를 맞고 나오니 몸이 어째 더 아프고 어지럽다. 기분 탓이겠지.

동네를 한바퀴 걸으며 새로 생긴 가게 구경을 한다. "가게가 금방 생기고 없어지네."라며 구경하다가 새로 생긴 일식집을 본다.

1.5인분도 추가 비용없이 무료로 해준다는 가게 앞 문구에 남편이 반가워한다.

데미그라스돈까스세트에 붓카케냉우동을 주문한다. 포장으로 했다가 먹고 가는 걸로 변경한다. 냉우동이 엄청 큰 그릇에 나와서 놀란다. 면보다는 국물이 맛있다. 돈까스도 맛있다.

만족할만한 식사를 하고 집에 오자마자 감기약을 먹는다.

다시 몸이 뜨거워지고 열이 난다.

감기 기운이 있을 때는 아무것도 안 하고 약 먹고 푹 자야 한다는 걸 느낀다.

봄이어도 감기에 걸릴 수 있다. 봄이라고 방심하지 말자. 우리는 아직도 추운 평창에서 돌아다니느라 더 감기에 취약했던 것 같다.

주말에는 잘 먹고 잘 쉬어야지.

반지 선물 받은 날

감기기운이 조금 괜찮아졌다.

약을 잘 챙겨먹고 잘 잔 덕분이겠지.

일단 늦게 일어나서 아침을 대충 차려 먹고 외출을 한다.

충남대학교로 향한다. 대학교가 주말에는 그나마 한산하고 운전연습하기도 좋다.

남편이 나보고 운전석에 앉으라고 한다.

간혹 운전연습을 시켜준다. 부부끼리는 뭘 가르치고 배우면 안된다고 하는데 남편은 차분하게 알려준다. 아직 주차가 어렵다. 몇바퀴를 돈 다음, 감기약 기운에 더 이상 힘들다고 하며 운전석에서 빠져나온다.

역시 운전은 자주 해야 는다.

그 다음 현대 아울렛으로 간다.

아울렛에 디즈니스토어가 오픈해서인지 아이들이 바글바글하다. 이쁜 캐릭터 사진도 찍고 구경하고 나온다.

배가 고파서 들어간 태국음식점. 남편은 늘 먹던 등뼈 쌀국수를 주문하고 나는 카레를 좋아해서 카레를 시킨다.

감기 기운에 뜨뜻한 국물을 마시니 한결 편해진다.

아울렛에 막상 살 게 없어서 집으로 온다

작년에 인친님에게 받은 설빙 기프티콘도 쓸 겸 더워서 망고 빙수를 먹으러 걸어간다.

동네에 설빙이 있으니 편하다. 맛있게 망고빙수를 먹고 나오니 좀 덜 덥다.

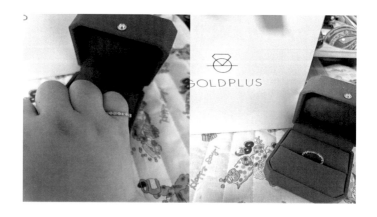

토요일에 쥬얼리샵에서 반지구경을 하고 왔었는데 어제 다시 또 들어간다.

새끼손가락에 낄 애끼반지를 고르다가 가장 마음에 드는 반지로 고른다. 이름없는 쥬얼리샵인데 좀 비싸다. 현금으로 할인받아 결제를 하고 사이즈 조정때문에 며칠 걸린다고 서비스를 맡기고 나온다. 며칠 후에 찾으러 가야지.

류마티스관절염약 때문에 몸이 점점 부으니 손가락도 붓는다. 그래서 맞는 반지를 찾기 힘들다. 그래도 또 반지를 끼면 이뻐보이니 찾는다. 글을 쓴다고 키보드를 자주 만지는 사람이라 손가락에 반지가 있으면 좀 더 일의 능률이 오르고 글이 잘 써지는 듯한 착각이 든다.

책을 출간하고 돈이 좀 생기면 나도 우리 남편에게 옷도 좀 사주고 맛있는 것도 사줘야겠다 다짐하며 또 열심히 글을 써본다.

카페에서 책을 읽는 여유에 감사

사람을 만나러 갈 때나 남편과 데이트를 할 때 카페에서 시간을 보낸다. 카페의 아늑한 분위기와 맛있는 빵과 음료 덕분에 한창 수다가 무르익는다.

하지만 가끔 사람을 만나지 않고 칩거 생활을 하고 싶을 때도 있다. 혼자 조용히 글을 쓰거나 영어공부를 하거나 독서를 하고 싶을 때가 있다. 그게 바로 요즘이다. 서평단 책이나 사놓은 책이 얼른 읽어달라고 줄 서 있으니 사람을 만나러 나가는 시간이 아까울 때도 있다.

선물로 받은 기프티콘을 사용하여 밥 먹기 귀찮을때 브런치도 먹을 겸 읽을 책을 한두 권 챙겨서 카페로 간다.

교회는 안 다니지만 우리 아파트 바로 뒤에 고등학교와 교회가 있어서 교회 카페도 선호한다.

글을 쓸때는 초고도의 집중이 필요하여 예외다. 나의 독서는 대부분 카페에서 이루어진다. 영어스터디나 영어공부를 할 때도 카페에서 했다.

백색소음이 도움이 된다고 나는 오히려 독서실에서는 집중이 안된다. 너무 조용하면 졸린다. 개방적인 곳에서 더 집중이 잘 된다.

간혹 카페에서 책이 읽히냐고 신기해하는 사람들이 있다.

카페에서 나 혼자 조용히 커피 마시면서 책도 읽고 생각도 하면서 혼자만의 시간을 보낼 때가 행복하다.

남편이 목요일까지 또 1박 2일로 출장을 간다고 한다. 이번엔 대구다. 남편이 출장 갈 때가 마음이 편하고 혼자만의 시간이 늘어나서 가끔은 이런 날이 필요하다.

자유부인이 된 만큼 책도 부지런히 읽고 서점 구경도 다녀와야지.

필라테스에서 만난 인연

필라테스에서 알게 된 내가 좋아하는 언니랑 오랜만에 만났다.

세종의 국공립어린이집에서 일하는 언니라 늘 바쁘고 퇴근이 늦어서 그동안 연락을 잘 하지 못했다.

오늘따라 언니가 너무 보고 싶어서 먼저 연락했는데 형부도 안계시고 딸도 외출중이라 마침 시간이 잘 맞아서 보기로 했다.

퇴근길에 우리 동네로 올 테니 대기하고 있으라고 했다.

서로 간의 근황을 이야기하고 어린이집일이 힘들다며 하소연을 들어주었다.

안 그래도 언니도 연락을 하고 싶었는데 마음의 여유가 없어서 못했다고 털어놓으셨다.

언니는 구미에서 나고 자라서 같은 경상도 여자라는 이유만으로도 말도 잘 통하고 정서가 비슷해서 편하다. 다른 점은 언니는 40대 초반이지만 벌써 딸이 중2라는거.

대전과 충청도 사람들은 속 이야기를 잘 안해서 무섭고 조심해야 하고 경상도는 좋고 싫고가 표현이 확실하다는 이야기를 하였다. 우리 둘은 서로 그런거 같다며 맞장구를 쳤다. 대전에서 근무하면서 경상도랑 다른 분위기에 상처받고 안 믿게 된다는 생각을 언니와의 대화를 통해 불현듯 다시 하게 되었다.

'미도인'에서 마침 스테이크가 할인 이벤트하길래 나는 스테이크 언니는 바질파스타를 시켰다. 파스타는 따끈한데 스테이크는 식어서 나왔다. 언니랑 나는 직원을 불렀다.

"스테이크가 다 식어서 나왔는데 이거 다시 데울수 있나요?"

"나오자마자 바로 갖다 드렸어요."

"아...네..그냥 먹을게요"

종업원이 주방에 있는 직원과 대화를 나누더니 다시 데워주겠다고 가져가신다.

확실히 스테이크는 뜨거워야 맛있다.

언니가 저녁을 계산하신다.

커피는 내가 사겠다고 한다.

커피를 마시며 수다를 떠는데 자꾸 기침이 나온다.

아까 낮에는 콧물이 자꾸 나와 훌쩍훌쩍 거리며 독서를 했는데 저녁이 되니 기침 때문에 사람을 곤란하게 한다. 언니에게 미안하다.

감기에 걸렸다며 걱정하신다.

그렇게 1시간 정도 더 수다를 이어간다.

시계를 보니 9시 30분이다. 언니는 다음날 또 출근을 해야 하니 집에 가자고 한다.

책이 한 권에 천원이라니!

카페에서 책을 다 읽고 뿌듯한 마음으로 집으로 걸어간다.

동네에 서점과 굿윌스토어 중고마트가 있다보니 항상 나의 마음을 뒤흔든다.

굿윌스토어는 장애인들의 일자리 창출을 위해 만든 가게로 누군가가 기증한 중고물품을 저렴하게 판다. 의류, 식품, 신발, 문구류,장난감, 악세사리, 식기류, 서적 등 종류도 많다. 대전 사람들이 돈을 잘 안 쓴다는 말을 들었는데 저렴한 가격 때문인지 제법 사람들이 온다. 신발도 만원, 옷도 3만원 이내, 책도 한 권에 천원이다. 종종 여기서 책을 득템한다.

제법 깨끗하니 상태가 괜찮은 책들이 있었다.

좀 출간된지 오래된 책들 위주라 아쉽지만 그래도 한 권에 천원이면 거저다.

원래 사고 싶었던 책들이 많았는데 고르고 골라 딱 4권만 사왔다.

박완서, 신경숙 작가님 책은 한번쯤은 읽어야 한대서 샀고 나머지 두 권은 책을 훑어보고 끌려서 사왔다.

동네에 책 파는 곳이 있으니 그냥 지나치기가 어렵다.

책 사는데 쓰는 돈은 전혀 아깝지 않지만 남편의 잔소리를 듣기 싫어서 많이 참고 있다.

그래도 책 구경할때가 행복한걸 어쩌랴.

이제 서점 가는 횟수를 줄이고 도서관을 자주 가야겠다. 그리고 서평단 협찬 받는 책들 위주로 부지런히 읽어야지.

이북 리더기를 사놓고 거의 쓰지 않고 있다.

아직은 종이책이 더 좋다. 책 넘기는 그 느낌도 너무 좋고 책에서 나는 냄새가 좋다.

남편이 왜 나랑 서점에는 절대 안 가려하는지 이해가 된다. 들어가면 정신을 못 차리니 .

서점이나 책방을 잘 피해다녀야겠다. 지갑을 지키기 위해서라도.

박준 작가님 만나러 갑니다

동네 도서관에서 박준 작가님 강연을 듣고 왔다.

말씀을 재미있게 잘하셔서 시간 가는 줄 몰랐다.

시인이 하시는 말씀은 꼭 작가가 아니더라도 우리는 읽고 쓰는 삶을 사는데 글을 쓰는 것의 중요성을 이야기하셨다. 박준 작가님이 하신 말씀 중에 재미있는 내용이 있다. 아마 대부분의 도서관 애용자라면 공감할 만한 부분이다.

작가님은 도서관이랑 가까운 곳으로 이사를 가신다고 한다. 도서관에서 글을 쓰는데 필요한 책을 한번에 15권까지 대출이 가능해서 배낭을 메고 빌려온다고 한다. 그것도 두꺼운책들로.

일단 2권을 책상 앞에 꺼내놓고 나머지 책들은 가방에 넣어두고 있다가 시간이 되면 읽어야지 하면서 째려보고만 있다.

반납기한이 다가오면 결국엔 책을 그대로 반납한다고 한다. 또 다시 책을 15권 빌려오는 일의 반복이다.

작가님은 본인을 "책을 옮겨오는 사람"이라고 표현하였다. 도서관에 있는 책을 본인의 집으로 옮겨오는 사람. 그 표현력에 우리는 다 같이 웃음이 나왔다. 정말 말을 찰지게 잘하신다. '나만 그런줄 알았는데 책을 좋아하는 사람들은 다 그렇구나'라는 생각에 안심이 되면서도 웃프다.

도서관 미스터리다. 왜 읽지도 않을 책을 무겁게 빌려와서 그대로 반납하는 것인가.

새벽 라디오 방송도 진행하시고 창비 출판사에서 근무 중이라 하신다.

마지막에 사인을 받으면서 책 출간을 할 거라고 했더니 언제 할거냐 물어보시곤 미리 축하해주셨다.

작가님 기운을 받아 더 박차를 가해야겠다.

독서모임에서 온라인 작가 초청을 하고 싶다고 했더니 흔쾌히 응하신
다고 하셨다.

즐겁고 재미있는 강연 듣고 선하, 선미 작가님과 갈비김치찌개 먹고
커피마시며 수다떨고 왔다.

유전자 검사결과를 들으러 가는 날

건양대 산부인과에 검사결과를 들으러 갔다.

4월 초에 유전자 검사를 하고 3주 만에 결과를 들으러 가는 건데, 엽산 수치가 부족하고 갑상선 수치랑 비타민 수치가 조금 낮은 거 말곤 특별한 이상이 없다고 하셨다. 근데 왜 자꾸 유산이 되는 것인지 모르겠다. 엽산은 최소 2000mg는 복용하라고 하셔서 신경써서 챙겨먹기로 했고, 갑상선이랑 아스피린 약을 4주분 처방해주셨다.

이번에 검사한 결과지를 달라고 요청했다. 결과지와 진료비까지 해서 2만원대가 나왔다. 시술하고 검사한다고 돈을 많이 썼더니 진료비는 이제 우습다.

산부인과에 다녀오니 배가 고프다.

건양대병원에서 우리 동네까지 버스로만 50분정도 소요된다. 도안동과 가수원동까지 지나가야지만 우리 동네가 나온다. 그래도 버스 환승 없이 한번에 다녀오는게 어딘가싶다.

최근에 새로 생긴 돈까스 가게로 간다. 남편이 양도 많고 맛도 괜찮다며 칭찬한 가게이다.

혼자 와서 드시는 손님들이 은근 있다. 데미그라스 돈까스를 시켜서 여유있게 맛있게 먹는다.

시아버님께 드릴 서류도 있고 해서 우리 동네에 오신다고 한다. 원래 같이 점심 먹으려했는데 병원진료가 늦게 끝나서 결국 밥은 따로 먹었다. 동네에서 시부모님을 만났다.

서류 드리고 이야기좀 나누다가 가셨다.

카페에 들어가서 뭐라도 마셔야 하나 싶어서 고민했는데 다행이다.

두 분 다 로또복권 판매자는 탈락이다.

추첨으로 뽑나보다.

고맙다고 수고했다고 5만 원을 쥐어주셨다.

주문 상품 정보

나의 돈키호테 소득공제
16,200원, 900원, 1개

나는 읽고 쓰고 버린다 - 손웅정의 말 소득공제
15,300원, 850원, 1개

전체 구매상품 보기 >

사은품 정보

[출판사 사은품] <나는 읽고 쓰고 버린다> 양장 독서 노트
2,000원, 1개

2024-04-25
의정부홈플러스점 배송
총 1종 1권 10,500원, 문미영
출고작업중

2024-04-25
회원직배송
총 1종 1권 6,300원, 문미영
상품준비중 조회/변경/취소

2024-04-25
총 2종 2권 33,500원, 문미영
출고완료 배송추적

나는 그 돈을 받아 계좌에 입금해서 장바구니에 넣어둔 책을 주문했다.

동네에 새로 생긴 컴포즈커피에 들어간다.

의자를 많이 안 가져다놓은걸 보니 테이크아웃 전문점이다.

기프티콘으로 공짜 커피 마시면서 책을 주문하고 있으니 행복하다.

돈이 생기면 책이나 독서용품을 주문하고 있는걸 보니 나는 찐 애독가임에 분명하다.

시부모님이 운전면허증을 갱신하러 운전면허시험장으로 가신다고 한다.

요즘은 모바일운전면허증도 발급가능한데 시부모님은 하실줄 모르니 만나면 설치해달라고 하신다.

아버님 연세가 올해 80세 이셔서 운전면허증을 반납하라고 말씀드렸지만 (물론 남편이 이야기를 했다) 운전할 수 있는 사람이 본인밖에 없다며 거부하셨다. 어머님도 장롱면허고. 고령운전자들은 가족이 신경을 써야 한다.

병원에 다녀오는것도 진이 빠지는데 시부모님까지 만나고 오니 더 진이 빠졌다.

일취성장 인독기
4월 운영진 회의

저녁에는 인독기 운영진 미팅이 있어서 줌에 접속했다.

피곤했지만 그래도 해야 할 일을 끝내고 나니 마음은 한결 편하다. 역시 마음이 편해야 한다.

난임 지원 신청

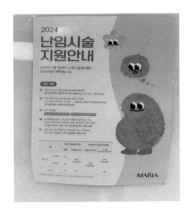

올해 2월 1일부터 대전에서도 소득에 상관없이 난임지원을 받을 수 있다. 작년까지는 건강보험료 지원만 받아 시술에 드는 비용을 사비로 내느라 부담이었다. 한번 시술하면 기본이 100만원이 넘게 드니. 난임 지원신청을 하기 위해서 과정이 복잡하다.

우선 마리아산부인과에 간다.

마리아는 여자 원장을 한 명 더 채용해서 진료실이 늘어났다. 그래서 주사실을 밖으로 옮기고 리모델링 했구나.

제일 중요한 난임진단서를 발급받아야 한다.

진단서를 받으려면 원장님과의 면담을 해야한다.

일단 호르몬검사결과지와 남편 정액검사결과지를 요청했다. 정액검사 결과지는 남편이랑 직접 통화해서 본인인증을 해야지만 줄 수 있다고 한다.

원래 휴가를 써서 12시에 퇴근해야 하는데 소장에게 보고해야 할 사항이 있어서 늦게 퇴근한다고 한다. 남편이랑 통화를 하기 위해 30분을 병원에서 더 기다렸다. 소장님이랑 같이 계셔서 전화를 못받았다고 한다.

바로 원무과직원에게 전화통화를 해주고 서류를 받았다.

원장님과 면담을 하는데 건양대병원에서 검사는 잘했는지 결과는 어떤지 물어보셨다.

딱히 특별한 문제는 없다고 하니 본인도 예상했듯이 원인을 모르겠다고 하신다.

약도 잘 챙겨먹으란다. 난임진단서를 발급해주셨다.

마리아가 이제 마지막이라고 생각하니 뭔가 아쉬웠다. 임신에 성공해서 마지막이었으면 좋았을텐데.

그렇게 나는 겨우 결과지와 진단서를 받아 남편을 기다린다.

유성구보건소로 향한다.

보건소에 가서 서류와 신분증을 보여주고 결정 통지서를 받는다.

20회까지 지원받을 수 있는데 지원을 한 번도 안 받았지만 이미 건강보험지원을 받아서 15번 남았다고 한다. 그것도 3개월만 유효해서 3개월 내에 시술을 받아야 한다.

병원에서 시술을 하고 청구를 하기 때문에 차액에 대해서만 결제를 하면 되고 만약에 비용이 남으면 약으로도 청구 가능하다고 한다.

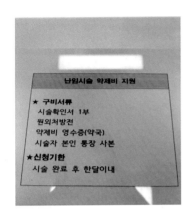

대신에 또 약국에서 서류를 받아서 보건소로 신청하러 와야 한다.

역시 나라에서 돈 지원 받는것도 쉬운 게 아니다. 난임인 것도 서러운 데 번거로운 과정을 거쳐야 한다.

그래도 이제라도 지원을 받을 수 있다는게 어딘가 싶다.

마리아에서는 안 되었지만 건양대 병원과는 잘 되어서 지원 회차가 끝나기 전에 출산까지 성공했으면 좋겠다.

성정순

대학, 대학원에서 첼로를 전공했다.

음악과 책을 연결하여 주위에 선한 영향력을 전하고 싶다.

다정한 사람들과 책 모임 '읽다 익다'를 꾸려가는 행복을 누리고 있다.

첼로를 가르치며 계속 읽고 쓰는 사람으로 남고 싶다.

성정순 애(愛)say

3/10/2024
<간헐적 달리기>

달리기를 시작했다.

성격이 그다지 활발한 편이 아닌 나는 운동만큼은 많이 움직여야 운동다운 운동이라는 고정관념을 가지고 있다.

직접 몸을 움직여 걷거나 뛰어야 비로소 운동 같은.

휴대전화 앱에 인터벌 달리기(걷고 뛰는 것을 반복)를 다운로드하고 시키는 대로 하기만 하면 된다.

뛰라면 뛰고 걸으라면 걷고.

활기찬 목소리의 남자가 매우 예의 바르게 운동을 시킨다.

목표는 일주일에 세 번 운동하고, 8주 후에는 쉬지 않고 30분을 계속 달리는 것이다.

말 그대로 간헐적 달리기는 계속 뛰는게 아니라 걷기와 뛰기를 반복 하다가 점점 뛰는 횟수를 늘려나간다.

달리기할 때 찾는 동네 공원이다.

힘들 때면 저 의자들이 줄지어 앉아 쉬어가라고 유혹한다.

그럴 때마다 앱에서 명랑하고 친절한 남자의 목소리가 여지없이 흘러나온다.

"지금껏 잘하셨습니다. 조금만 더 하면 달콤한 휴식이 기다리고 있습니다. 힘내십시오~~"

그의 말에 힘입어 쉬지 않고 뛰고 걷기를 반복한다.

아직 러너스 하이 (달리기할 때 힘든 고비를 넘긴 후 느끼는 쾌감)를 느끼는 단계는 아니지만, 계획대로 달리기를 끝내고 나면 해냈다는 성취감과 뿌듯함에 기분이 좋아진다.

나와의 약속을 지킨 자신에게 칭찬을 아끼지 않는다.

간헐적 달리기는 스스로를 별로 칭찬하지 않는 나에게 칭찬 거리를 만들어 주는 도구가 되었다. 자신에게 냉정한 사람들은 칭찬할 만한 사소한 일들을 만들어 보는 건 어떨까 싶다.

칭찬 목록을 하나씩 만들어가는 즐거움이 제법이다.

무언가 나를 위해 새로운 것을 시작해 보자.

건강을 위해서, 취미생활이나 배움을 위해 일단 시작해놓고 본다.

안되는 여러 가지 이유를 생각하지 말고 해보기로 한다.

아니다 싶으면 그때 그만두어도 늦지 않다.

나는 요즈음 달리기와 더불어 하루에 한 장, 글쓰기를 시작했다.

새롭게 시작하는 이 두 가지 일이 계획대로 될지는 모르겠지만 시작만으로도 기분이 좋아진다. 새로운 일을 시작했다는 안도감과 두 가지 모두 오래도록 생각했던 일들이기 때문이다.

몸으로 뛰고 책상에 앉아 쓰는, 육체와 정신을 같이 하는 것이 더 마음에 든다.

나와의 약속이 이루어지도록 세심하게 점검해 가며 진행해야겠다.

순수한 즐거움이 될까 아니면 스트레스가 될지는 모르겠지만 시작만은 즐겁다.

무언가를 새로 시작하는 것은 나에 대한 기대와 동시에 배려가 아닐까 싶다.

3/11/2024
<Monday morning 독서 모임>

보통의 회사원이라면 일요일 저녁이 되면 다음 날 일찍 출근해야 하는 중압감이 있다.
비교적 시간적 여유가 있는 나는 일요일 오후가 되면 월요일 오전에 있는 독서 모임에 갈 생각에 약간의 설렘으로 책을 본다.
'한 달 한 책'이 모임 이름이다.

일주일에 한 번 모여 책 내용에 관해 얘기하고 서로의 마음과 생각을 나눈다..
혼자 읽을 때는 느끼지 못한 많은 것들, 미처 생각지 못했던 부분들을 책 친구들을 통해 새롭게 배우기도 한다.

모임을 주관하시는 작가님은 한 사람 한 사람의 생각을 배려해 주시고 끝까지 경청함으로써 모두의 공감을 이끌어낸다.

모임이 끝나면 좋은 생각과 좋은 마음들을 그득하게 쌓아 놓은 보물상자 하나를 얻어가는 기분이다.

3월의 책은 《나는 메트로폴리탄 미술관의 경비원입니다》.

세상을 살아갈 힘을 잃었을 때 작가는 자신이 아는 가장 아름다운 곳에 숨기로 하고 선택한 곳이 미술관이었다.

숨기로 했다면 사람들 눈에 띄지 않는 곳으로 가야 하는데도 불구하고 관람객들의 눈에 젤 많이, 젤 잘 띄는 경비원이 된다.

삶이 힘들 때 숨고 싶은 장소를 잠시 생각해 본다.

집보다 더 오래 있는 곳. 악보와 책으로 가득한 나의 연습실(학원)이다.

나의 직업은 첼로 선생이다.

첼로를 가르치는 내게 악보는 중요한 재산이지만 요즘 책장에는 점점 악보를 한 편으로 밀어버리고 위대한 작가들이 야금야금 자리를 차지하고 있다.

보통 오후 1시쯤 학원에 출근하여 업무를 보다가 레슨 하고, 레슨이 없을 때는 다시 책을 보거나 글쓰기를 한다.

거창한 글쓰기가 아닌 사소한 일상의 기록이나 sns에 올리는 독후감 정도다.

이곳에서 혼자서 책을 읽다가 책 친구들을 만나러 나서면 오늘은 어떤 이야기들이 나를 감동시킬까 또는 어떤 마음이 다가올까 하는 기대와 즐거움이 있다.

《나는 메트로폴리탄 미술관의 경비원이었다》의 저자는 매우 가까웠던 친형의 죽음으로, 방황과 절망 속에서 미술관으로 숨어 많은 관람객에게 그림을 보여주고 또 그들과 함께 그림을 보며 관조하는 삶을 한동안 이어간다.

그렇게 자신의 환경을 바꾸어 가며 불안 유발 요소를 제거하고 그림을 통해 점점 세상 밖으로 나가게 된다.

그림과 주변 사람이 그를 절망에서 구원한 셈이다.

그림이든 책이든, 아니면 사람이든 누군가에게 위로를 주고 절망을 거둬 간다면 고마운 일이다. 삶은 늘 봄날이 아니지만 늘 전쟁터도 아니다.

다만 느끼지 못하는 불안정이 있을 수 있다.

그래서 때로 흐름에 맡겨두기도 하지만 결국 자신이 원하는 것, 익숙한 것을 택하게 된다.

나는 책이 주는 위안 속에서 요즈음 살고 있다.

책이 위안이 안 될 때면 다른 것을 찾겠지만 아직은 괜찮다.

더불어 같은 책을 읽는 이들의 다정함으로 충만한 월요일이 시작되면

고단할 예정인 한 주의 시작치고는 꽤 위로되는 첫날이다.

읽고 쓰고 기록하는 습관을 지닌 것에 감사한 날들이다.

3/12/2024

<내가 가진 사소한 특권 누리기>

모든 게 부족해 보인다.

가진 돈도 없고, 뛰어난 스펙도 없고, 사람들과도 잘 어울리지 못하는,

뭐하나 내세울 게 없다. 그런 자신 때문에 우울한 적이 있었던가?

그럴 때면 집 앞의 아름다운 공원으로 산책나간다.

공원을 걷다 자동판매기에서 커피 한 잔을 뽑아 늘 가지고 다니는 인

스턴트커피 한 봉지를 더 넣어 진하게 마신다.

재미있는 팟 캐스트를 들으며 혼자 킥킥대며 걷다 보면 조금은 우울

함이 가신다.

내가 가진 것들을 생각해 낸다.

동네에 아름다운 공원이 있다. 건강한 두 다리가 있다. 읽고 쓰기도 하고 좋은 이웃들이 있다. 사랑하는 부모님이 건재하신다. 쓰다 보니 가진 게 너무 많다.

인생은 사실 사소한 단어들로 정의되고 그 사소함이 쌓여 노년까지 유지된다.

나이가 들어갈수록 거대 담론이나 어려운 얘기들 말고 하찮아 보이고 세세한 작은 것들에 관심이 간다.

소소한 것이 중요한 것임을 알았다.

오늘은 며칠 동안 읽던 책을 끝내고 독서 후기를 쓰기로 한 약속을 지킨다.

내일 오후엔 서점에 가서 펜을 몇 자루 사고 주말엔 고대하던 전시회를 간다.

혼자도 좋고 그림을 좋아하는 사랑하는 친구가 있으면 더없이 행복하다.

같이 담백한 저녁을 먹고 선선한 밤거리를 걷다 집으로 돌아온다.

이쯤 되면 가진 게 너무 많거나 행복이 넘치는 것 아닌가?

굳이 행복하지 않아도 상관없지만 다른 사람들처럼 행복이란 말을 쓰기에 적합한 날이다.

나의 특권은 내가 가진 사소한 것들을 누리며 나와 잘 지내는 것이다.

나를 조금 더 이해해주고 관대하게 대해준다.

이제는 소소함으로 무장한 나를 칭찬하고 위로한다.

고요하고 단정하게 나만의 특권을 찾아 제대로 누리기로 한다.

내가 내 마음에 들면 비로소 나답게 사는 것이리라.

3/17/2024

〈축구하는 개구쟁이 첼리스트〉

레슨실에 들어오자마자 자랑이 한바탕이다.

"선생님 저 어제 상암 구장에서 축구 봤어요. 이 유니폼도 거기서 샀어요. 멋있죠~~?"

"멋지다. 지민이가 응원한 팀이 이겼니?"

"당근이죠!!!"

"자 이제 첼로 해야지..."

"네" 대답하고는 아주 천천히 악기를 꺼낸다. 축구 얘기할 때랑은 전혀 다른 모습이다.

일주일에 두 번 축구 수업을 받고 여러 학원을 다니지만 일요일에는 꼭 첼로 레슨을 빠지지 않는다.
엉덩이가 들썩거릴 법도 한데 한 시간은 너끈히 앉아 있는다.
벌써 4년째 첼로 레슨을 받고 있으며 제법 음악적 감각도 있다.

오늘은 연습을 안 한 듯, 같은 곳을 계속 틀리기에 한마디 하려고 아이의 얼굴을 보니 계란 만한 볼살과 장난기 가득한 큰 눈 때문에 터져 나오는 웃음을 억지로 참는다.
아이는 여전히 틀리면서 내 눈치를 본다.

축구에 전혀 관심이 없는 나는 온 세상 축구에 관한 정보는 이 귀여운 꼬맹이를 통해 알게 된다. 선수의 이름과 소속팀을 국내 국외 할 것 없이 훤히 꿰고 있다.

가끔 유니폼을 입고 자랑스러운 얼굴로 올 때면 나는 아이의 현란한 축구복과 축구화를 칭찬한다.

게다가 요즘은 파마까지 해서 장난기 어린 얼굴이 더 동글동글해 보인다.

우연히 같이 레슨 받는 친구들을 만나는 날이면 그날은 친목회다.

모두를 아울러서 뜀박질이라도 한 번하고 헤어진다.

한 시간 동안 앉아서 첼로 하는 게 신기할 따름이다.

제 누나가 첼로를 아주 잘해서 가르쳐 주는지 어떤 날은 연습도 곧잘 해온다.

혹 연습이 전혀 안 된 날이면 들어오면서부터 먼저 이실직고한다.

"선생님 저 연습 한 번도 못 했어요"

"왜…?"

"몰라요" 본인이 왜 연습을 못 했는지 모른다니…. 아이들은 말하기 곤란하면 다 모르쇠다.

"그럼 혼나야겠네."

그때부터 개구쟁이 꼬마는 그 큰 눈으로 악보는 안 보고 나를 계속 쳐다본다.

"선생님 얼굴에 악보가 있니? 그만 쳐다봐"

그제야 다시 자기 악보로 시선을 옮긴다.

별 무리 없이 레슨이 끝나면 기다리고 계시던 엄마를 향해 "엄마!! 안 혼났어!!".

레슨을 다 듣고 있던 엄마는 또 얼마나 웃음을 참으실까..
요 장난꾸러기는 그래도 비발디 소나타를 연주한다.
어려운 악보도 척척 읽어내고 비브라토(성악에 있어 바이브레이션과 같은)도 해낸다.
누나같이 유명한 첼로 협주곡도 하겠다고 내게 약속한 바 있다. (언제 깨어질지 모르지만)

아이들은 다 귀엽고 예쁘다.
선생님 목소리가 커지면 자세를 다시 잡고 긴장하는 순수함도 있다.
음악은 아이들을 더 솔직하고 자신감 있게 만든다.
첼로는 요즘도 흔한 악기는 아니지만, 많은 사람이 첼로 소리를 좋아한다.
인간의 음역과 가장 비슷하기도 하고 첼로 자체가 매력적인 소리를 갖고 있기 때문이다.

다른 악기도 그렇지만 첼로 하는 아이들을 보면 대견함이 앞선다.
자신의 몸보다 큰 악기를 안고 고심하는 귀여운 얼굴들이 먼저 떠오르기 때문이다.
유려한 첼로의 음색처럼 아이들의 동심도, 흐르는 물처럼 맑고 영롱하게 빛나기를, 어릴 때 했던 첼로의 기억이 아름다운 추억으로 남았으면 한다.

3/18/2024
<책과 음악 - 여름과 루비(박연준)/ 두 대의 바이올린을 위한 협주곡 D 단조(바하) >

친한 듯 안 친한 듯 친해져 버린 초등학생 소녀 여름과 루비.
동성 친구지만 때로는 이성 친구인 듯 둘의 우정은 깊어간다.
유년의 어느 지점에 있는 두 소녀는 기쁨보다 우울함이 많고 또래 아이들에게서 흔히 볼 수 있는 장난기보다는 기댈 수밖에 없는 어른들의 손에서 삶의 흉흉한 모습들을 보고 살아간다.

엄마 대신 고모, 할머니와 사는 여름과 남들의 곱지 않은 시선을 받아내다 가족을 버리고 새 남자와 도망가 버린 엄마를 둔 루비.
피아노 학원을 하는 여름의 고모는 동화책과 동시집 필사를 많이 시켜 여름은 자연스럽게 글쓰기와 친해진다.

마음이 황폐해진 두 아이는 함께 있을 때 글을 쓰고 책을 읽는다.
아픔을 숨기려 안간힘을 쓰다 거짓과 외로움으로 무장한 소녀와 새엄마, 이복동생, 철없는 아빠를 가진 소녀의 유년은 누가 더하다 덜하다 할 수 없을 정도로 쓸쓸하다.

루비가 엄마와 같이 살기 위해 떠나면서 둘은 이별을 한다.
작가는 이별을 '언덕에서 내려오는 것'이라는 멋진 표현을 했다.

둘이 같이 있던 언덕에서 내려와 나만의 언덕을 다시 만드는 것. 그렇게 그들은 이별했고 그 후로 다시 만나지 못했다.
둘은 서로를 잃어버렸고 그들의 유년은 현재가 되었다.

바하 <두 대의 바이올린을 위한 협주곡 d단조>

두 대의 바이올린이 마치 서로 얘기하거나, 달려가거나. 혹은 다투는 것처럼 시종일관 서로를 바라보면서 쉬지 않고 빠른 속도로 연주된다.
마치 여름이가 한번 크게 소리치면 이어서 루비가 바로 받아 응답하는 듯이.
1악장은 각자의 얘기를 쏟아내기에 여념이 없다.

느린 2악장에서는 둘이 번갈아 가며 서로의 외로움과 슬픔을 토로하는 것 같다.
마치 "내 얘기 좀 들어봐...", "그랬구나..그래.." 하며 소녀들의 대화가 차분하게 흐르는 물처럼 이어진다.

안정된 화음이 서로에게 위로와 우정을 아끼지 않는 다정한 친구 모습을 보여주는 아름다운 멜로디 라인이다.

3악장은 마치 둘의 이별을 암시하는 격렬한 멜로디들이 주를 이루며 잘 지냈던 시절을 회상하는 듯하다
내내 두 대의 바이올린이 서로의 서사를 얘기하다 마치 다시 만나지 못한 현재를 그대로 마감하는 듯 리타르단도(점점 느려지게)로 장중하게 마무리된다.

17세기 바하가 이 곡을 만들 때 물론 두 소녀를 상상하지 않았겠지만 21세기에 《여름과루비》를 읽는 나는 제일 먼저 떠 오른 곡이다.
두 소녀처럼 두 대의 바이올린이 서로 조화를 이루며 아름다운 멜로디를 주고 받으며, 바이올린의 높고 명랑한 음색이 마치 아이들의 목소리 같았다.

책을 읽으며 그에 맞는 음악을 상상하고 그것을 글로 표현하는 일은 재미있는 작업이다.
바하의 <두 대의 바이올린 협주곡 d 단조>를 들을 때마다 여름과 루비, 두 소녀가 같이 어울렸던 시절과 함께 고단한 마음들을 어루만져 주고 싶은 마음이다.

3/20/2024

<삶을 사랑할 이유>

월요일 독서 모임에서 읽기 시작했던 《나는 메트로폴리탄 미술관의 경비원입니다》를 완독했다. 앞에서 언급한 대로 잘 나가는 잡지사 기자인 저자가 매우 가까웠던 친형의 죽음으로 인한 상실감에 미술관 경비원이 되어 약 10년간 일하며 서서히 사회인으로 돌아가는 과정이 주 내용이다.

상실의 아픔과 무기력을 견디기 위해 숨은, 미술관이었지만 수많은 그림 속 사람들과 관람객, 미술관 동료들을 만나게 된다.
저자의 표현대로 '삶의 중심에 구멍'을 냈던 상실감이 잡다한 일들로 다시 채워진다.
'삶의 구멍'이라는 말에 오래 머물렀다.

누구나 살면서 그 구멍을 메꾸거나 숭숭 뚫린 채로 한 시절 남루한 마음으로 살기도 한다.
세상 부러울 것 없어 보이는 사람도 꺼내 보면 아픔이 있고 늘 웃고 사는 이웃의 그녀도, 깊은 슬픔을 가지고 있다.
얼핏 본 지나가는 사람도 나만큼 아프고 또 이겨냈으며 풍요롭고 힘든 삶에 몰두해 있을 것이다.

삶이 정확히 어디로 가는지는 모르지만 지금 나의 모습이 삶이라는 사실이고, 제대로 가는지 아닌지는 판단을 미뤄둔다.
어차피 살아내야 하는 거라면 왜 살아야 하는가에서 어떻게 살아가야 하는지로 질문을 바꿔보자.

이제는 나의 욕망을 자신에게 구체적으로 얘기해 준다.
아주 사소한 것에서 시작해 본다.

일주일에 세 번 산책하기, 한 달에 책 한 권 완독하기, 세 줄씩 일기 써보기, 잡다한 스트레스 중 한 가지는 무시해보기 등등 몇 가지 적어보기만 해도 산뜻해진 느낌이다.

몇 번 하다가 그만두면 또 어떤가. 다른 사소한 일을 찾아보면 된다.

이 모두가 오늘을 잘 살아내고 싶은 기특한 마음이다.

일상에 숨어 있는 잔재미를 캐내면 '삶의 숨구멍'이 조금은 트일지도 모르겠다.

거대 담론이 아닌 작은 이야기 속에 계절의 변화를 느끼고 주변을 보고 사람이 보이면 거기서 뭐든 시작하면 된다.

내 인생을 나만의 이야기로 최대한 아름답게 만들어 보는 것이 삶의 완성이자 의무인 것 같다. 최대한 나를 아끼는 것이 사실 말처럼 쉽지 않다. 나를 자주 혼내고 야단친다.

남에게는 예의 깊게 대하면서 자신에게는 함부로 대한다.

이 봄에는 다정함이나 온화함 같은 아름다운 우리말로 고운 위로를 나에게 보내본다.

박완서 선생님의 《세상에 예쁜 것》에 '나의 성품 중 가장 기특하고 고마운 건 욕 먹고 미움받은 건 쉬이 잊어버리고 사랑받은 건 오래 기억하는 게 아닐까. 그런 능력이 나를 행복하게 해주었다.'라는 대목이 있다.

선생님 말씀처럼 내내 아픈 기억만 떠올리지 말고 사랑받은 기억을 찾아봐야겠다.

반성과 검열의 삶과 작별하고 불필요한 자책은 그만두기로 한다.

사소한 기쁨으로 다시 없는 오늘을 채워가다 보면 삶의 구멍도 조금은 메꿔지리라.

삶은 주변의 것들로 인해 힘든 것이 아니라 나 자신을 챙기지 못해 힘들어지는 경우가 더 많다. 삶이 꼭 행복해야 할 이유는 없지만, 지금으로 가득한 세상에 발을 담갔으니 나의 이야기를 나에게 전해주고 싶다.

수없이 많은 봄 중에 또 한 번의 봄이 오고 있다.

3/21/2024

< 재능 없음에 감사하며>

더는 젊지 않은 몸이 여기저기 쑤시기 시작했다.
마사지를 가끔 받으러 가면 "손님은 필라테스 같은 운동을 해보시면
좋을 거예요"라는 말씀을 몇 번 들은 후 동네 필라테스 스튜디오를
찾았다.
그 이전부터 생각하던 차에 결심을 굳혔다.

선생님과 일대일 수업을 받기로 하고 일주일에 두 번씩 출석했다.

등이 많이 굽고 뻣뻣하고 유연성이란 찾아볼 수 없는 체형임이 입증되었다.

수업 중에는 보통 몸에 달라붙는 하의를 입는다.

사방에 있는 거울을 민망해서 볼 수가 없어 습관적으로 시선을 떨구니 선생님은 계속 고개를 들라고 한다.

민망한 시간을 두 달여 보낸 후 이제는 조금 익숙해져 선생님의 위로 같은 칭찬도 종종 받는다.

책을 보거나 컴퓨터를 할 때도 늘 스트레칭을 염두에 두게 되었다.

사람은 저마다 어떤 분야에 재능이 있다.

나는 이렇다 할 재능이 없는 데다 운동 쪽은 더 심하다.

방법은 하나, 선생님이 시키는 대로 그냥 묵묵히 계속한다..

재능 없음에 한탄하기보다 그로 인해 성실히 꾸준히 하게 하는 습관을 갖게 되었으니 오히려 감사해야 하는지도 모르겠다.

감사해야 할 목록이 쌓인다.

3/22/2024
<고전의 즐거움>

어린 시절 집집이 책장을 장식했던 것 중에 '세계문학 전집'이 있다.
우리 집에 있던 전집은 반들반들하고 빛나던 자주색 표지로 된 20권
짜리였다.
기억을 더듬어 보면 《폭풍의 언덕》《분노의 포도》《제인 에어》《장
크리스토프 백작》 등이 있었던 것 같다.

요즘은 종이책뿐 아니라 전자기기로 책을 보기도 하지만 아날로그적
인 나는 역시 종이책을 한 장 한 장 넘기며 보는 것을 좋아한다.
고전을 읽을 땐 특히 더 그렇다.
음악을 들을 때도 예전에 듣던 가요나 클래식을 주로 듣는다.
그러고 보니 난 아날로그적인 성향이 분명하다.

세상에 읽어야 할 책들은 계속 쌓여만 가고 내가 읽는 속도는 훨씬
느리다.

그런데도 고전에 대한 애착만은 강하다.

책을 읽는 사람이라면 고전 몇 권 정도는 읽어야 한다는 되도 않는
의무감인지, 어떻게 주입된 인식인지는 알 수 없지만 알려진 제목의
작품들은 읽어보고 싶었다.

이미 세상에 나온 지 백 년 이상이 된 이야기들이 여전히 읽히는 이
유는 인간의 근본적인 삶이 현재와 별반 다르지 않기 때문일 것이다.

삶은 시대를 초월해 위태로운 결핍과 전전긍긍을 벗어날 수 없는 것
일까?

제각각 다른 불행한 얼굴과 형편으로 시대를 살아가지만, 인간이 갈구하는 건 끝이 없다.

심지어 자신의 욕망이 무엇인지 구체적으로 모르면서 막연하게 무언가를 원한다.

인간의 욕망과 갈구는 시대가 변해도 세월이 흘러도 그대로이고 또 어느 것 하나 해결되지 않으며 계속 같은 고민과 걱정으로 시대를 관통한다.

첨단 문명의 시대일수록 독서인구가 눈에 띄게 줄어든다는 발표가 여기저기에서 나오는 것이 어제오늘 일이 아니다.

그럼에도 불구하고 누군가는 어딘가에서 열심히 책을 읽고 있다.

내가 그렇고 내 주위가 그렇다.

새로운 책이 나오고, 유행처럼 금방 사라질 때도 있지만 그와는 반대로 계속 누군가 읽으며, 다시 예전 책을 불러내어 대화의 주제로 삼는다.

고전은 그렇게 끊임없이 호명되며 반복적으로 사람들 앞에 나타난다.

꼭 감동적이거나 교훈적이지 않아도 괜찮다.

계속 뭔가를 하지 않으면 시대에 뒤떨어진다고 윽박지르는 '자기계발서'나 돈 버는 방법에 대해 자세히 알려준다며 유혹하는 책들에 지쳤을 때 읽는 고전은 생수와 같다.

어떤 면이 그토록 시원한 생수 같은지 물어본다면 아직은 글로 정리가 잘 안 된다.

다만 시대를 감안하고 환경을 유추해서, 읽는 이의 자유로운 해석이 가능할 뿐이다.

고전을 읽지 않는다고 이웃과 분쟁이 일거나 세금을 더 내는 일은 없지만 그 안에서 '옛사람'을 만나는 행운이 있다.

그 사람은 나보다 한참 어린 소년이거나 소녀 혹은 사랑에 달뜬 얼굴을 한 신부이거나 망나니 술꾼일 수도 있다.

그들 모두 정겹다. 그들은 내게 물어본다

"당신이 사는 현재도 나 같은 사람이 있나요.?"

나는 대답한다.

"당신보다 이상한 사람 너무 많아요. 당신은 현명한 사람이었어요"

책을 덮으며 현실의 누군가에게 말을 한다.

"한 번 읽어보세요"

3/25/2024

<사랑에 대하여>

사랑은 질병이다. 라고 누군가 말했다.

병이라면 고쳐야 할 텐데 그렇다고 병원을 가지는 않는다.

사랑에 빠져 온 세상이 아름답고, 자기도 모르게 배실배실 웃는 얘기
는 하지 말자.

《젊은 베르테르의 슬픔》을 다시 읽었다.

사랑 때문에 목숨을 스스로 끊는다는 것이 도무지 이해가 안 되었던

어린 시절이 있었다.

요 며칠 '청년 베르테르'를 다시 만났을 때 그의 온 우주가 그 여인뿐임을 알았다.

결혼을 약속한 이가 있음을 알면서도, 그녀가 결혼 한 후에도 로테를 사랑하는 베르테르의 마음은 변함이 없다.

'사회적 금기'에 대한 도전이며 불행을 자초함이 보이는데도 그는 그녀 없는 삶을 견딜 수 없었다. 단순히 젊음의 치기일까, 낭만일까, 그러기에는 너무 두렵다.

목숨을 담보로 하는 사랑이었으니.

남은 삶을 살아내야 하는 그녀 '로테'는 어떤 심정일까?

자신에게 마지막 입맞춤을 하고 떠난 베르테르를 잊고 안온한 삶을 살 수 있을까.

책에는 베르테르가 떠난 후의 로테의 얘기가 나오지 않지만, 그녀 역시 굴곡진 삶을 살지 않았을까 싶다.

젊은 베르테르는 혼자 의자에 앉아 오지 않을 로테를 영원히 기다리고 있다.

내 젊은 날의 사랑을 돌아본다.

누군가를 혼자 사랑했던 적도, 운 좋게도 마음에 있던 과 선배와 연애를 했던 일도 있었다.

사랑의 기억이라는 게 모두 아름답지는 않다.

서로의 기억은 자신이 편한 쪽으로 각색되고 윤색된다.

심지어 같은 일을 두고도 부분마다 각자 편한 대로 편집되기도 한다.

아름다운 추억으로 남겨두고 순전한 마음으로 하나씩 꺼내 보면 좋을 텐데 말이다.

사랑이 다시 오면 예전 같은 어설픔은 버리고 멋지게 해 내리라 결심하지만 누구에게나 사랑은 늘 어렵고 아쉽다.

마음 졸이고, 혼자 슬퍼하고, 오해하고 여전히 막막하다.

그렇게 사랑은 늘 어렵다.

다시 연애라도 하라고 친구가 얘기하면 "사랑이 밥 먹여주니?" 한다.

지난 시절 언젠가는 사랑이 밥보다 좋은 날도 있었다.

온 세상이 그 사람으로 둘러싸여 있고 계절의 변화도 마치 우리를 위해 있는 듯했다.

사랑이 지나가면 세상이 끝난 듯 괴로웠지만 나는 이렇게 멀쩡히 잘 살고 있다.

빅토로 위고는 "우주를 한 사람으로 축소 시키고 그 사람을 신으로 확대하는 것이 바로 사랑이다."라고 했다.

거창하게 신의 경지까지는 아니지만 온 우주가 다가오듯 사랑이 온 것에 대해 신에게 감사한 마음을 갖게 되는 것으로 나름 해석해 본다.

나를 전적으로 응원해 주는 사람, 내게 아픔이 있다면 자기일 보다 더 아파할 사람, 내 잘못이라고 굳이 따져 묻지 않는 바로 그 한 사람이 내게 다시 온다면 나는 다시 사랑에 열심일까? 봄처럼, 아지랑이처럼 사랑을 맞이할 수 있을까?

사랑은 언젠가 식고, 잎이 떨어지고 싸늘한 계절의 순간이 반드시 온다.

그 순간이 힘들고 견딜 수 없어 미리 겁먹고 돌아섰던 때도 있었다.

그러다 어느 날 문득 다시 사랑할 시간이 많지 않다는 것을 알았다.

사랑이 사시사철 아무 때나 오는 것도 아니고 지나간 후에 때가 되면 반드시 오는 것도 아니다.

돈오점수(頓悟漸修)라고 했던가.

'어느 날 갑자기 깨달아 지속적으로 실천해 나가는 것.'

사랑을 비유하기에 언뜻 어울리지 않는 것 같지만 뜻밖에 깨달은 내 나름의 사랑의 의미가 내심 뿌듯하다. 갑자기 든 생각이라 마치 커다란 깨우침 인양 받아들였다.

이제 내게 다시 사랑이 온다면 식물을 키우듯 때마다 물을 주고, 바람도 잘 들게 하며, 햇빛도 자주 보게 해주어야겠다.

안되는 이유를 열거하기보다 꼭 같이 있어야 하는 이유를 많이 만들어 놔야겠다.

연락이 없으면 내가 먼저 연락을 하고 화가 났다면 내가 먼저 풀어보도록 해야겠다.

혼자 있을 때면 늘 빈 의자가 떠오르곤 했다.

나 혼자 편히 앉아 하염없이 강을 바라보는 일도 나쁘지 않지만, 다시 사랑이 온다면 정성껏 잘 길러 내 곁에 앉혀두고 같은 곳을 같은 시간에 바라보리라.

사랑은 세심하고 섬세하게 돌보아야 할 대상이라는 걸 이제는 알게 되었다.

하찮고 사소한 것들이 쌓여 인생의 탑이 되지만, 그중에서도 사랑이 제일 앞에 서 있어 내 삶을 꾸준히 아껴주길, 착한 마음으로 계속 나를 보고 있기를 바라는 마음이다.

3/27/2024

<반려악기>

반려동물, 반려식물이 있듯이 요즘은 악기를 배우는 성인들이 많다.

어렸을 때는 공부 때문에 혹은 가정 형편상, 마음으로만 간직하고 있던 꿈의 악기를 어른이 되어 배워보는 것이다.

코로나 시기에 재택근무가 많아짐에 따라 악기를 배우는 분들이 급증했고 성인들만 전문으로 가르치는 학원도 많이 생겼다.

유트브 동영상을 통해 가르치는 채널들이 많으니 배우는 분들도 다양한 통로가 생겼다.

내가 가르치고 있는 분들이다.

매주 토요일 오후, 모든 개인사를 제쳐두고 열심히 오신다.

직장도 다니시고 돌보아야 할 가정도 있지만, 토요일 오후는 온전히 '첼로레슨'을 위해 쓴다.

오직 첼로의 매력에 빠져서 일상의 일부를 할애하시는 분들을 뵐 때마다 존경심이 절로 생긴다. 사 오십 년 이상을 첼로와 전혀 관계없는 일을 하고 살아오셨으니 말이다.

생각처럼 좋은 소리가 안 나거나 뜻대로 손가락이 말을 듣지 않을 때는 선생인 나에게 속상함을 토로하기도 하지만 첼로 할 때 표정은 다가서기 어려울 정도로 진지하다.

무엇이 그토록 집중하게 만드는지 생각해 본다.

다름 아닌 삶에 대한 '애정과 열정'이다.

먹고 사는 일과 아무 관련 없는 '첼로'에 몰입하는 분들은 생활 전반이 활력과 자신감으로 가득 차 있음을 보았다.

한 마디로 뭐든 열심히 하시는 분들이었다.

가르치는 나도 삶을 대하는 태도를 많이 배운다.

나는 평생 첼로를 했지만 성인이 된 후 악기를 접하시는 분들의 용기에도 감탄하고, 더욱이 흔히 볼 수 없는 첼로를 너무도 사랑하고 아끼는 모습에 또 한 번 감동한다.

얼마 전 읽은 정여울 작가의 책 《공부할 권리》가 생각난다.

스펙이나 시험을 위한 한시적 공부가 아닌 본인이 원해서, 필요해서 하는 공부는 권리이자 특권이다.

책을 펴고 공책이 있어야 공부가 아니다. 나를 다듬는 삶의 공부로 선택한 악기.

자신에게 부여된 것이 특권인지도 모르고 지나치는 사람들이 얼마나 많은가.

우리의 존엄을 지켜주는 것은 다름 아닌 스스로의 선택이다.

나의 가치를 발견하는 것도 자신이고 발견된 가치를 가꾸어 나가는 것도 나 자신이다.

어디를 가더라도 삶은 이어지고 나의 존엄은 지켜내야 한다.

허세로 가득찬 미래를 계획하기보다 지금 내가 할 수 있는 것을 찾아 성실히 임하는 나의 '어른 제자'들은 값진 존재다.

그들은 긍정적 삶의 태도에 탁월한 재능이 있다.
삶은 늘 우리의 기대와 예상과는 다르게 펼쳐 지지만 어떻게 대처하느냐가 문제다.
불행이나 행복이 관건이 아니라 저마다의 고유함으로 살아가는 것이다.
수업시간 이외에도 잠깐 뵙고 대화 나눌 기회가 가끔 있는데, 그럴 때마다 일상의 충만함에 눈빛이 빛나는 것을 볼 수 있다.

'어른 학생'들을 빛나게 하는 것은 역시 삶에 대한 적극성과 열성이었다.
첼로가 잘 될 때는 아이처럼 기뻐하다가도 뜻대로 안 될때는 갑자기 우울한 얼굴로 나를 처다보는 모습에 나는 뒤돌아서서 웃음을 참는다.
결핍된 여백을 음악으로 메꾸고 공부의 권리를 실천하는 나의 어른 학생들이 자랑스럽다.

그들이 실천해 내는 하루하루에 박수를 보내며 삶의 한편이 꾸준하고 아름답게 빛나길 바란다.

4/1/2024

<잠깐 메모>

\# 4월은 가장 잔인한 달.

　겨울은 오히려 따뜻했다.

　잘 잊게 해주는 눈으로 대지를 덮고...(중략)

　T.S.엘리엇 《황무지》

4월이면 떠오르는 시(詩)지만 내게 4월은 더이상 잔인하지 않다.

사랑이 있고, 곧 위대한 시민의 승리가 있을 예정이며, 꽃이 피어나고

있다.

\# 생리가 몇 달 끊겨 완경에 이른 줄 알고 좋아했는데 다시 시작되었

다.

폐경에 이르면 많은 여성이 우울하거나 아쉬운 마음이 있다는데 나는

전혀 그렇지 않다.

호르몬 변화에 따른 증상도 없었다.

다시 시작되었더라도 급히 가 주길 바란다.

봄과 함께 회춘하는 것인가 아니면 신께서 주신 마지막 체험인가...

주여! 너무 오래 했습니다.

\# 사랑도 때로는 용기가 필요하다.

그(그녀)를 사랑할 수 있는 용기, 아무 날 아무 때 헤어지지 않을 용기.

헤어지고 싶지 않다고 말할 용기.

그러고 보니 사랑은 온통 용기투성이다.

4/2/2024
<봄밤의 사소한 즐거움>

나는 한 달에 스무날 이상은 혼자서 식사를 한다.
일명 '혼밥'.
혼자 밥을 먹는 것이 쓸쓸하거나 밥맛이 없거나 하는 일은 절대 없다.
식당에서도 혼자 밥을 사 먹는 일이 전혀 어색하지 않다.
혼자 식사를 할 때는 책을 보거나 동영상을 켜놓는다.

봄날 저녁 지인이 찾아왔다.
오전에 나눈 문자 중에 짜장면을 먹고 싶다는 말을 기억한 모양이다.
지나는 길에 들렀다지만 그 역시 같이 밥 먹을 사람이 필요한 듯했다.

그는 예전부터 혼자 먹는 걸 싫어해서 늘 같이 먹을 사람을 찾던 것이 기억난다.

'그냥 대충 먹으면 되지 뭐, 꼭 누구랑 같이 먹을 필요까지야' 하며 속으로 생각했다.

오늘 그의 저녁 식사 상대자는 나로 당첨된 거 같다.

선뜻 본인이 사겠다며 중국음식점에 전화한다.

덕분에 아침부터 생각났던 짜장면을 먹을 수 있었다.

우리는 짜장면 두 그릇과 군만두 한 접시를 주문했다.

둘 다 음식을 천천히 먹는 스타일이고 먹는 양도 많지 않다.

오랜만의 만남이라 그간 쌓인 이야기들을 느리게 풀어놓으며 음식을 먹었다.

만두도 상대에게 건네며 시간을 들여 먹으니 의외로 같이하는 식사의 재미를 느꼈다.

식구(食口)는 밥을 같이 먹는 사이라지만 같이 사는 식구가 없는 나는 대부분 혼자 먹는 일이 그리 이상한 일이 아니었다.

같이 대화를 나누며 음식을 먹는 일이 그날따라 특별히 좋다고 생각

된 이유는 잘 모르겠지만 그날 이후 누가 같이 밥 먹자고 하면 귀찮아하지 않게 되었다.

그간 쌓인 얘기도 했지만, 무심결에 틀어놓은 음악도 기억이 나고 후식으로 내가 준비한 커피 향도 좋았다. 이런 사소한 일들이 기억되는 날들이 가끔 있다.
일 년에 몇 번 갑자기 꽃을 산 날이나, 평생 몇 개 안 먹은 햄버거가 먹고 싶은 날 같은.
그런 날이면 사소한 감정의 쓸모를 생각한다.
별생각 없이 살다가 갑자기 생각나는 하찮은 쓸모있는 것들이 삶을 약간은 둥그스름하게 만들어 준다.

우연히 들른 지인과의 짜장면 저녁으로 봄밤이 더욱 아늑하고 늘 듣던 음악이 새삼스레 잘 들리던 그런 날들이 가끔 있어, 지루한 날들을 견디는지도 모르겠다.
감정을 억제하거나 외면하다가도 가끔 툭 내려놓고 그 순간을 즐겨본다.
'사소한 감정 즐기는 날'
그런 날이 봄밤이라면 더욱 안성맞춤이다.
여름, 겨울, 가을밤이 있지만, 봄밤이 어감상 제일 예쁘고 기분까지 아늑해진다.
봄밤에 만나는 사소한 감정이 쓸모 있게 느껴져 새삼 다행이다.

꽃향기 날리는 봄밤에는 경직되어 있던 감정과 생각을 조금 내려놓고 다른 사람들처럼 좋아하는 음식을 앞에 두고 편한 사람들과 웃고 떠드는 시간을 가져본다.

상대가 좋아하는 음식도 한 번 더 집어줘 보기도 하고 맛이 어떠냐고 물어보기도 한다.

올해 봄밤에는 영롱한 피아노 음악을 친구와 같이 듣다가 한 마디 흥얼거려본다..

모차르트의 느린 악장으로 할까, 흘러가는 듯한 드뷔시로 할까.

가로등이 켜져 있는 밤에 때맞춰 목련이 있다면 더 좋겠다.

소담스러운 흰 꽃을 보며 드뷔시의 <아라베스크>를 흥얼거린다.

봄밤에 누리는 사소한 감정을 낭비하기에는 드뷔시의 피아노 음악이 제격이다.

4/4/2024

<무용(無用)한 것의 쓸모>

몇 년 전에 매우 인기 있었던 드라마 속에서 한량 같은 부잣집 도련님의 이런 대사가 있었다.

"나는 저 무용(無用)한 것들을 좋아하오. 봄,꽃".

모두 조국의 독립을 위해 무언가 하는 그때 '도련님'은 밤길에 핀 꽃을 보고 그렇게 말한다.

같이 걷던 친구들에게 한소리 들은 건 물론이다.

일제의 수탈이 점점 심해지고 한 끼 먹는 게 중요했던 시절 '도련님'은 꽃과 시를 좋아하고 약혼자를 위하여 당시 처음 나왔던 전차를 통째로 빌린다.

재벌들이 가난한 여자친구를 위해 놀이동산을 빌리는 요즘 드라마처럼.

'도련님'도 내적 고통이 많았고 자기 뜻과는 다른, 부모님 사이에서 힘든 처지기는 했다.

무용(無用)한 것, 쉽게 말해 돈벌이와는 거리가 먼, 그저 좋아서 하는 일들, 오히려 시간을 들이고 돈을 들여서 하는 취미 같은 것들이다.

내게는 독서가 그렇다.

늦게까지 책을 보고, 누가 시키는 것도 아닌데 독후감을 쓰고, 달마다 몇 권 이상을 목표로 읽는다.

읽을수록 읽어야 할 책은 더 쌓이고 사고 싶은 책은 더 많이 보인다.

심지어 어떤 날엔 황당하게도 끄적끄적 무언가라도 쓰고 싶은 욕구가 생기기도 한다.

그런 날엔 혼자 있으면서도 누가 마음을 본 건 아닐까, 창피함으로 주위를 둘러본다.

때로는 내가 책을 왜 이렇게 읽고 있지? 스스로 자문해 보지만 이유는 특별히 없다.

그냥 좋아서 하기도 하고 어느 순간부터는 습관이 된 것도 같다.

이상하게도 무용한 많은 것들에 끌린다.

책, 그림, 음악 등 밥이 안 되고 돈이 안 되는 것들이지만 내가 좋아하는 것들은 나의 생활을 환하게 만들어 준다.

원하고 좋아하는 것들을 해보는 나만의 매뉴얼을 가지고 있다면 괜찮은 삶 같다.

취미가 특기가 되고 그것이 생활이 되어 일상이 되면 매일 할 수 있는 나만의 생활목록이 정해진다. 내가 만든 삶이 빛나 보인다.

아침에 일어나 아직 살아보지 못한 하루를 기대하고 자신을 돌보는 일로 시작하는 삶은 무용한 것이라 여겼던 많은 것들이 의미있는 일상으로 다가온다.

4/6/2024

<한 가지 일을 오래 한다는 것>

백만 년 만에 연극을 봤다.

요즘 제일 '핫' 하다는 부조리극 <고도를 기다리며>.

대학시절 유명했던 '산울림 소극장'에서 본 기억이 난다.
아직도 그 극장이 있으려나..

1887석 4층 규모의 극장을 가득 채운 관객만 봐도 이 연극의 인기를 알 수 있었다.
이미 두 달 전에 예매할 당시에도 표 구하기가 쉽지 않았다.
사뮤엘 베케트의 작품은 일단 이해하기가 쉽지 않다는 생각을 하고 있었기에 연극 보기가 한결 편했다.

존재의 유무도 확실치 않고, 온다는 보장도 없는 고도(Godot)를 기다리는 두 사람.
두 사람을 위해서 고도는 반드시 존재해야 하고 그들 역시 존재하기를 바라고 있다.
삶의 무의미함과 허무속에서 희망이 있다면 고도가 언젠가 온다는, 사실 아닌 사실을 그들은 믿고 싶다.
마치 "언제인지는 상관없어, 제발 온다고만 말해줘"라고 절규하는 것 같았다.

삶은 기다림의 연속이다.
희망 속에서 기다리고 절망 속에서도 기다린다.
언젠가는 좋은 날 오겠지. 그들은 아직도 고도를 기다리고 있을 것이다.
마치 할 수 있는 일이란 기다리는 것뿐 이라는 듯.

연극은 꽤 길었다. 휴식시간이 20분 주어지고 전후 1시간 정도 이어
졌다.

연륜과 관록의 대배우들은 그 긴 시간을 짧게 느낄 정도로 대단한 연
기력을 보여주었다.

현재 80세를 훌쩍 넘긴 분들이 많은 대사를 다 외우는 게 신기할 따
름이었다.

평생 한 가지 일을 하는 위대함을 실감했다.

그런 것을 '천직'이라 했던가.

대 배우들 앞에 '천직'이라는 단어보다 더 적확한 말이 있다면 알고
싶다.

모든 관객은 연극이 끝나자 기립 박수로 그들의 열연에 경의와 존경
을 보냈다.

내게도 있는 나만의 기다림, 나만의 고도를 들춰보는 아름다운 밤이었
다.

4/10/2024

<부모님의 뒷모습>

세월을 이기는 장사 없다지만 늘 젊을 것 같았던 부모님이 늙어간다는 걸 새삼 느낄 때는 기분이 착잡하다.
두 달 만에 뵌 두 분은 다행히 건강해 보이시지만 연로함은 피할 수 없다.
그도 그럴 것이 두 분의 연세는 각각 80대, 90대이시다.

80년을 넘게 사신 엄마는 머리카락이 힘이 없어진다고 한탄하시고 90년을 넘게 사신 아버지는 허리가 아프다는 나에게 어린애가 허리가 왜 아프냐고 핀잔을 주신다.
나는 더이상 어리지도 젊지도 않은데 말이다.
노안도 오고, 흰 머리도 제법 많고, 퇴행성 목 디스크 판정도 받았는데도 95세 우리 아버지 보시기에 나는 늘 어린애다.

"니가 애기였을 때 엄마 등에 업혀서 엄지손가락을 너무 빨아서 지금 손가락이 그렇게 넓적해 진거야"라는 말씀이 곧 있으면 백 번 정도 된다.

결혼을 안 한 내게 부모님은 각별하다.

흔히 말하는 친정도 시댁도 없고 내게는 단지 '본가'만 있다.

거기에는 연로하시지만 건강하셔서 결혼 안 한 나이 많은 딸의 안위를 걱정하시는 두 분이 계신다.

나는 큰 복을 타고났다.

부모님이 아직 단단하게 살아 계시고 내가 두 분을 위로하는 게 아니라 두 분이 나를 챙기시니 말이다.

어렸을 때는 상상도 못 했던 어리광을 100세를 앞둔 아버지 앞에서 자주 한다.

그럴 때면 아버지는 내 머리를 쓰다듬어 주신다.

무덤덤하셨던 아버지는 어린 우리에게 살가운 말씀을 잘 안 하셨는데 연세가 드시니 변하기는 하셨다.

어리광을 안 부리던 내가 어리광을 부리듯 무뚝뚝하던 아버지도 많이 부드러워지셨다.

아버지는 가끔 "내가 언제 죽을지 몰라.." 하신다.

그럴 때면 모두 입을 모아 "아직도 20년은 거뜬하실 듯해요" 하면 기막혀 하시지만 싫은 표정은 아니시다.

© micheile, 출처 Unsplash

두 분은 자식들에게 뭔가를 부탁하는 일이 거의 없다.
대부분 두 분이 알아서 해결하시고 나중에 말씀하신다.
자식들에게 부탁하고 요구하셔도 되는데 여전히 안하신다.

부모님이 살아 계셔서 행복하고 행복하다.
지금처럼 적당히 아프시고 적당히 병원 다니시며 꽃과 나무를 오래
보셨으면 좋겠다.
나도 울 엄마 아버지를 오래도록 보고 싶다.

4/13/2024
<4월의 국도에서>

봄날의 국도는 한적하고 고즈넉하다.
팝콘처럼 살짝 부풀어 오른 탐스럽고 하얀 꽃을 가진 나무들도 친근
하고, 꽃을 떨어뜨린 벚나무도 아직 분홍이다.
살짝 바람이 불면 무수한 꽃잎들이 눈처럼 날린다.
화려하게 피어있는 벚꽃도 아름답지만 간지럽게 가끔씩 날리는 '꽃눈'
도 다정한 애인처럼 정겹다.

4월을 이렇게 애정한 적도, 꽃을 기꺼운 시선으로 바라본 적이 없는

듯한데 올해 4월은 특별하다.

나이가 점점 들어서인지 아니면 드디어 나의 주변이 보이는 건지 모르겠지만 반가운 변화다.

계절의 변화에도 묵묵하고 피고 지는 꽃에 무관심했던 지난날보다는 마음이 한결 풍요로워진 것 같다.

봄은 살아있는 모든 것에게 탐나는 계절이다.

정체 모를 희망과 안심을 준다.

내가 할 수 있는 일은 다시 겨울로 돌아가지 않게 찾은 봄을 꼭 붙잡고 있는 일이다.

4월의 국도를 지나다 보니 고요한 아름다움에 취해 누군가에게 서운했던 마음도 눈처럼 흩날리는 꽃잎과 함께 날려 버린다.

이 국도를 계속 가다 보면 유명한 절이 나온다고 옆 사람이 얘기한다.

그녀의 눈에도 아름다운 꽃눈이 날리고 있었다.

4/19/2024

<행복한 책 읽기>

문화체육관광부가 발표한 2023년 '국민 독서 실태' 조사에 따르면 지난해 성인의 종합독서율은 43.0%, 종합독서량은 3.9권으로 2021년에 비해 0,6권 줄었으며 성인 10명 중 6명은 책을 한 권도 안 읽는다는 기사를 보았다,

사람들은 여러 가지 이유로 책을 멀리하고 있다.
바쁘다거나 마음의 여유가 없거나 기타 등등의 이유가 있겠지만 독서는 습관이라고 생각한다.
어릴 때부터 읽는 습관을 만들었으면 좋겠지만, 아닌 경우에는 일단 아무 책이나 읽기 시작하자.

무슨 책부터 읽어야 할지 모르겠다는 분들이 있었다.
내게 감동을 주고 읽기 편한 책들을 그들에게 권해서 같이 읽은 지 이제 6개월이 되었다.
읽기를 부담스러워하고 습관이 안 되어있던 분들이 한 달에 한 권씩 꼬박꼬박 읽게 되어 모두 뿌듯해했다.

매일 읽을 분량을 정해 놓고, 단톡방에서 각자 인상적인 문장을 적은 후, 자신의 생각을 적어 올린다. 바쁜 일상 중에도 다들 열심히 하신다.

서로를 위해 고마운 일이다.

단톡방을 이용한 후에는 이 주일에 한 번 모임을 한다.

나는 대략의 개요와, 함께 나눌 발제를 준비한다.

서로의 의견을 듣다 보면 혼자 읽을 때와는 다른 많은 내용이 나오고 내가 생각하지 못한 부분도 알게 되어 대화의 재미가 이만저만이 아니다.

"저한테 질문하지 마세요" 하시던 다정한 분은 알고 보니 엄청난 내공의 소유자였고

"저는 느낀 점을 어떻게 정리하는 줄 모르겠어요" 하시던 분은 은유의 대가였다."

결국, 나는 그들에게 매일 배우고 있다.

얼마나 행복한 일이 있는지, 누구를 그렇게 진심으로 사랑하는지, 모임에 참석하는 모든 분의 얼굴은 늘 밝고 환하다. 덩달아 나도 환해진다.

책을 읽어보자고 권한 건 나였는데, 그들은 내게 너무 많은 걸 준다.

사랑을 주고 신뢰와 감동과 때로 눈물을 준다.

그분들보다 책 몇 권 더 읽은 나에게 '책 선생님'이라는 황송한 호칭을 선물로 주시며 "다음 책은 뭐예요?" 호기심 가득 상기된 얼굴로 물어보는 걸 볼 때면 더 좋은 책을 찾고자 많은 생각을 하게 된다.

봄이 가고 있다. 여름이 오고 겨울이 와도 늘 같이하며, 다정함을 나누었으면 좋겠다.

"모두 여러분 덕분입니다. 감사해요".

4/23/2024

<봄이 하는 일>

어감만으로도 봄이 느껴지는 말, '봄'.
봄이 하는 일은 무엇일까, 가만 생각해 본다.

잊고 있었던 희망과 연두색 바람을 주고 황홀한 눈꽃도 준다.
각각의 계절이 우리에게 주는 기쁨은 다르지만, 유달리 올해는 '봄'에
게 마음이 간다.
기후위기로 체감의 빈도는 좀 줄어들지만 그래도 봄은 봄이다.
사람의 기분을 좌우하는 것 중에 날씨도 한몫하여 화창한 날이면 사
람들이 일제히 밖으로 나와 마치 도시 전체 인구가 한군데 모인 느낌
이다.

이 봄에는 서로가 서로에게 꽃이 되어 곧 떠나는 봄을 환송했으면 좋
겠다.
봄은 우리에게 설레이는 많은 것들을 주고 때로 봄비까지 주며 황사
를 걷어가 청량한 공기를 주는 수고도 마다하지 않는다.

heart_songi-calli

계절의 여왕이 5월이라지만 봄이 안고 있던 4월이 있었기에 5월도 빛
난다.
4월의 봄은 단정하고 조심스럽게 설익은 초록을 주며 여름으로 가려
고 한다.
이제 봄은 소임을 다했다.

<조르바에게 배운 일상의 경이로움>

행복의 기준은 무엇일까..?
사람은 꼭 행복해야 할까..?

산전수전 다 겪은 거친 육체노동자 그리스 사람 '조르바'는 하는 말마다 투박하고 쌍소리에 걸쭉한 성적 농담도 잘한다.
그런 그에게도 소녀 같은 순수함이 있었으니 모든 사물을 처음 보는 것처럼 놀라움과 감탄의 대상으로 보는 것이었다.
일상을 경이로움과 기적 같은 예술로 보며 매일 매일 감동한다.

니코스 카잔차키스의 명저 《그리스인 조르바》는 내게 큰 감흥을 일으킨 '인생책'이다.
학교에 다닌 적도 없고, 책을 많이 읽지도 않았지만, 그는 세상을 돌아다니며 얻은 경험으로 어려운 일을 쉽게 풀어내고 상대의 고민을 하찮게 만들어 버리는 재주가 있다.
행복한 순간이 지난 후에야 비로소 깨닫지 말고 현재를 느끼고 즐기기를 몸소 실천한다.

먹는 것도 매일 하는 하찮은 일로 보지 않고 숭고한 의식으로 보며 그 유명한 말 '당신이 어떤 음식을 먹는지 알려주면 당신이 어떤 사람인지 말해 줄 수 있다'라는 대사를 한다.

사람의 일상은 어떤 음식을 먹고 어떤 생각을 하며 어떤 일을 반복적으로 하는지, 그것이 그 사람의 인생을 말해 준다는 의미이리라.

매일 맞이하는 아침을 새로운 세계를 보듯이 경탄하며 현재에 최선을 다한다.

가급적 내일이란 말은 최소화한다.

생은 모든 사람에게 한 번뿐이니 지금 하는 일에 집중하며 최선을 다한다.

조르바에게는 현재라는 사소하지만 찬란한 하루가 있었고 그는 매번 감탄하며 감사한다.

3감 이란 말이 있다. 감사, 감탄, 감동.

매 순간을 감탄으로 살 수는 없지만, 때로 감사하고 잊을 만하면 감동하는 사소한 삶이 나를 안녕하게 한다.

걱정하고 염려하지만 말고 가진 사소함을 누리며 현재를 만끽하기가 왜 그리 어려운지, 4월의 봄 부신 날에 일단 밖으로 나가보자.

<Umm....>

올해 봄은 여느 봄과 다르다.
뜬금없이 꽃이 눈에 들어오고 새로운 사람이 보이고 파릇한 기운마저 느껴진다.
봄과 함께 새로운 세계가 내 안으로 들어와 눈이 시리다.

본격적으로 책 읽기를 시작한 지 일 년 조금 넘었다.
온라인에서 알게 된 분들과 읽은 책에 관한 대화를 나누다 급기야 글쓰기에 이르렀다.
글이라고 할 수 있을지 모르겠지만 벅찬 경험이었다.
모든 글은 가치 있고 쓰는 모든 이들의 위대함도 알았다.
특별한 재주가 없이 배운 건 오직 하나 '첼로'밖에 없는 나는, 평생 첼로에 관한 일만 해왔다.
전공과는 무관한 글쓰기는 새로운 것에 도전하는 신선함과 잔잔한 파격에 이르렀다.
글쓰기를 응원해 주는 지인은 사소한 것도 기록하는 습관과 매일 쓰는 일이 중요하다고 조언을 아끼지 않는다.
규칙적으로 매일 같은 일을 반복하는 것은 성실과 끈기가 필요하다.
그것이 먹고사는 일과 무관하다면 더욱 더.
내게 글쓰기는 일상적 경험을 넘어선 새로운 세계로 들어가는 느낌이었다.

무언가 새로운 일에 도전한다는 것에 대해 생각해 본다.

도전하기에 적합한 계절이 따로 있는 것은 아니지만 봄이 제법 어울린다.

지인의 조언처럼 사소한 것들을 놓치지 않으려는 연습과 더불어 면밀히 관찰하는 세밀함이 필요한 것은 유독 글쓰기에만 해당하는 것이 아니라 삶이 대부분 그렇다.

사소함이 모여 삶이 되고 하고 싶은 마음이 쌓여 그것이 곧 재능이 되는 것도 같다.

타고난 재능이 없으니 반가운 말이다. 오해를 사랑하고 싶다.

모든 처음은 어설프고 자신 없으며 괜스레 움츠러든다.

처음인데 어떻게 잘해, 네가 해 봐, 이 정도면 웬만하지 않아? 하는 만용을 부려보지만 자신 없기는 마찬가지다.

누군가의 영혼 없는 칭찬이라도 마냥 듣고 싶어진다.

글쓰기를 시작한 봄에, 염치없지만 나에게 위로를 보낸다.

하찮은 사소함으로 때때로 빛났다고.

윤수영

혼자서도 잘 사는 사람의 일상을 말하고 싶었어요.

혼자라서 온전히 나에게 집중할 수 있어서 지금도 성장하고 있어요.

나의 일상을 통해 나처럼 혼자의 삶을 즐기고 계신 분들과 조금이라도

공감하고 싶어요.

주변에서 결혼하지 않는다고 잔소리를 하더라도 혼자 잘 살고 있는

모습을 보여 주자구요. 혼자라서 더 좋다고.

저는 다시 도전을 합니다. 사정이 생겨서 잠시 소원했던 저의

주얼리브랜드에 다시 집중하여 봅니다.

빠르게 변화하여 두려워졌던 트렌드를 다시 따라 잡기 위해 매진해

봅니다.

모두 각자의 자리에서 열심히 잘 살아가요, 우리.

특히, 싱글인 분들을 더 많이 응원합니다.

윤수영 애(愛)say

올해는 진달래로 오셨나 보다

우리 엄마는 봄의 여신이다.
4월에 세상에 오셨고, 3월에 세상을 떠나셨다.
4월에 결혼을 하셨고, 5월 나를 낳으셨다.
생전에 봄을 매우 좋아하셨다. 성함에도 봄 춘 자를 가지고 계신다.
분홍색을 좋아하셨다. '핑크공주'라는 별명을 붙여드릴 정도로.

70을 1년 4개월 앞둔 어느 날 암진단을 받으셨다.
70을 한 달 못 채우시고 우리와 이별하셨다.

왜 그랬을까,
나는 엄마의 병을 알게 된 후 필사적으로 진달래를 찾아 헤맸다.

진달래를 좋아하는 나는 꽃이 피어있지 않은 이파리만 봐도
알아보았다.
전지가위를 챙겨 들고 나가 뒷산 산책을 하며 산으로 올라가는 길
옆에 있는 진달래나무를 가지치기 해준다는 명목으로 잘라왔다. 잘라
온 나뭇가지로 꺾꽂이를 여러 번 시도했다.
몇 번 물에 담가 놓기도 해보고, 흙에 묻어 놓기도 해 봤다.
정성스러운 시도였지만 매번 실패했다.
나의 방법이 뭐가 틀렸나 보다.
사실은 이게 법적으로 해도 되는 행위인지, 도둑질하는 건 아닌 건지

걱정이 되기도 했다.

어느 날 엄마의 저녁상을 차려드리려고 장을 보러 농협로컬푸드
마트를 갔다.
농민들이 키운 신선한 농작물을 판매하고 있는 곳인데, 그곳에서
진달래나무를 발견했다.
누군가 진달래를 농장에서 키우는 분이 계셨던 것이다.
너무나도 반가웠다. 다른 화분들에 비해 많이 비싸지만 나는 고민하지
않고 구매했다.
그렇게 해서 드디어 집에 진달래를 들여놓게 되었다.
꽃은 없는 상태였고,
다음 해에 필 꽃을 기다려야 했다.

진달래는 야리야리한 가지 끝에 여성스러운 분홍빛 꽃을 먼저 피워내
예쁜 모습을 하고 있지만 다른 식물들이 잘 살지 못하는 척박한
곳에서도 잘 자라고 그 땅을 비옥하게 만들어내는 능력도 가지고
있다고 한다.
보기에는 가냘퍼 보이지만 생명력이 어마어마하다는 것을 알고
있었던 것 같다.
진달래를 닮은 엄마가 병을 이겨내시기를 바라는 나의 염원이 담겨
있었다.

엄마는 결국 이 진달래 꽃을 보지 못하셨다.

그리고,

엄마를 보내드린 지 꼭 찬 4년이 지난 올봄,
나의 진달래는 실내에서 키우다 보니 일찌감치 여러 송이의 분홍꽃이
피고 지고 했다.
이제 다 피고 졌나보다 하고 있는데…

3월 엄마의 기일 전날, 꽃봉오리가 발견되고 기일날 꽃이 퐁 피었다.
너무 신기했다. 엄마가 오신 것 같다고 생각했다.
일주일쯤 피어 있었다.
이 꽃이 올봄의 마지막 꽃인가 보다 했다.

4월 엄마의 생신 전전 날 아침, 또 한 송이의 꽃봉오리가 발견됐다.
어머! 이게 웬일이지?
생신 전날 밤에 퇴근하고 집에 와서 보니 꽃이 피어 있다.

내일이면 일주일째 피어 있는 날인데 꽃은 매우 쌩쌩한 상태다.
이번엔 진짜 이 한 송이가 올 해의 나의 마지막 진달래 꽃 일 것
같다.

이 소중한 두 번에 걸친 진달래가 하는 인사 덕분에 한 송이, 한
송이를 자세히 들여다보았다.
연분홍색 통꽃 안에 열 개의 검은 술과 꽃보다 긴 한 개의 분홍 술이

함께 있다. 검은 술은 수술이고 분홍 술은 암술이다. 그 모습에서 나는 마치 우리 가족의 관제탑 핑크공주와 다시 한 집에 모여 있는 것 같았다.

매일 꽃이 잘 있나 확인을 하다 보니 진달래가 7일에서 10일 정도 피어있다는 사실을 깨달았다.

그때 나랑 함께 못 봐 아쉬우셨나,
올봄엔 우리 엄마가 진달래로 내게 오셨나 보다.

진짜 혼자가 되었다

사람은 누구나 완벽하지 않다.

내가 완벽하지 않은 만큼 남도 완벽하지 않을 것이고, 그 누구도 옳고
그름을 판단할 수도 없고, 판단해서도 안 된다.

섭섭한 마음이 가득 차 있었던 때가 있었다.

나만 너무 소중해 내 마음이 다치는 것이 싫어 매우 방어적이었다.

이런 내가 여럿에게 피해를 줄까 하여 멀리 거리를 두었다. 내 아픔을
이해받기를 바랐다.

시간이 필요했다.

시간이 흐르고 거리가 멀어지니 내 마음이 안정되었다. 내 마음이 단단해졌다.

하나하나 모두 기억할 필요가 없음을 알았고,

하나하나 따지고 들지 않아도 됨을 알았고,

모두 각자, 각자의 삶을 살면 된다는 것을 서로 받아들이면 되었다.

이 과정에서 분명히 나도 잘못한 점이 있을 것이고, 상대의 잘못만 보려 할 필요도 없는 것이다.

우린 다 서툰 이별의 시간을 보낸 것이다.

내 마음이 편하면 되었다.

옛말, 시간이 약이다라는 말은 명언이 맞다.

아직 다 나은 건 아니지만, 전보다 나아진 건 확실하다.

그럼 되었다.

나는 계속 성장 중이다.

책이 내게 준 힘

더 나은 사람들을 만나게 해준 힘.
습관을 들이게 해준 힘.
긍정의 힘.

내 마음을 강하게 해준 힘.

생각하게 하는 힘.

용기를 주는 힘.

의지할 곳이 되어 준 힘.

글을 쓰게 하는 힘.

나를 보호해 주는 힘.

마음에 안정을 갖게 해주는 힘.

좋은 길로 안내해 주는 힘.

위로해주는 힘.

성취감을 주는 힘.

작고 소중한 것을 알게 해주는 힘.

숨은 행복을 찾을 수 있게 도와주는 힘.

만족감을 주는 힘.

좋은 곳으로 데려다주는 힘.

엄마대신 내게 답을 준 힘.

어느새 다시 봄

이 봄의 날씨와 분위기와 냄새가 좋다고 친구가 말한다. 나에게도
봄은 그런 계절이었다.
하지만 지금은 나에게 봄은 매우 잔인한 계절이 되었다. 나에게 아직
봄은 모든 고통의 감각이다.
불효자는 운다고 했던가, 엄마가 몇 해 전 봄에 영면에 드신 후
슬픔이 더 차오르는 불효자다.
봄을 기쁘게 맞이하고 있는 친구에게 내 심정을 말할 수 없었다.
그녀의 좋은 기분을 나와 동기화시키고 싶지 않았다.
난 '맞아~'라고 짧고 작게 맞장구를 쳤다. 평소와 다른 나의
맞장구를 친구가 눈치채지 않기를 바라며.

친구와 건강을 챙기는 맛있는 밥을 먹고, 색감이 좋은 카페에 앉아
예쁜 커피를 마시고, 카페 안으로 내리쬐는 봄 햇살을 만끽하고,
봄맞이 쇼핑을 하고, 산책을 하고, 그러고도 헤어지기 아쉬워 간단히
맥주 한 잔을 더 마시면서 이야기를 나누며 오늘 하루가 마무리되어
간다.

혼자서 있었다면 어디까지 나락으로 떨어질지 몰랐을 오늘이었지만,
친구와의 만남으로 기분전환을 할 수 있고, 이런 만남이 가까이 살고
있는 우리의 일상이라는 것에 감사하다.
이렇게 존재만으로도 힘이 되는 친구가 있음에 감사한다.

내가 짝꿍 없이 혼자 씩씩하게 살아야 하는 이유

아마도 내가 사랑받는 것이 너무 익숙해 남에게 사랑 주는 법을
모르기 때문일지도.

완급조절을 잘 못하는 나의 애정표현이 누군가는 부담스럽기 때문일지도.

나의 어디로 튈지 모를 성격을 가늠할 수 없어 누군가의 속이 뒤집어지기 때문일지도.

아마도 나의 솔직한 애정표현 때문에 더이상 내가 궁금하지 않기 때문일지도.

아직도 성장 중인 어른이라서 누군가에게 어린이보다 더 아이 같기 때문일지도.

아마도
그 누구도 이런 내가 너무 '사랑스러워' 감당이 안 되기 때문인지도!

출근 천국

아침 9시 정시 출근을 위해 이용하는 대중교통의 맛은 아주 지옥
맛이다.
수많은 사람들이 내뿜는 이산화탄소가 나를 기절시킨다.

생판 모르는 남들과 온몸이 밀착되어 서 있어야 할 때는 정말
어찌해야 할지 모르겠다.
날씨가 더워져 땀 냄새까지 섞이면 세상 불쾌하다.
누구나 한 번쯤은 겪어보지 않았을까?

나는 보통 필요한 재료들을 사야 할 때나 새로 나온 재료가 있는지
보러 갈 때, 디자인한 주얼리가 현물이 되어 나왔을 때, 주얼리 수리
의뢰 또는 제작 의뢰가 있을 때 그 목적에 맞게 종로, 남대문,
동대문으로 출근을 한다.
자영업자 프리랜서의 출근길 버스 안은 여유롭다.
이 텅 빈 버스 안과 교통체증 없는 도로 상황은 더할 나위 없이 천국
맛이다.
벌어먹고 살기 힘든 요즘이지만 햇살 좋은 날 한산한 버스에 자리
하나 잡고 앉아 기사님의 운전 리듬에 몸을 맡기고 있으면 힘든 것도
잠시 잊게 된다.

이 버스 안에 있는 사람들 모두 각자의 고민과 번뇌로 힘든 삶을
살고 있을 테지만,
붐비지 않는 버스를 타는 것 같은 소소하고 작은 행복을 찾아
잠시라도 편안하기를.
버스 맨 뒷자리에 앉아 탑승 동료들에게 마음으로 속삭여본다.

이동 중 버스 안에서의 사색은 중독이다.

혼자서도 먹어요

과거에는 혼자서 밥 먹는 사람을 가엾이 보는 이상한 시선을 가진
사람들이 많았다.
삼삼오오 모여있을 때 혼자 먹는 사람에 대해 모르는 사람인데도
대화의 소재가 되어 한 마디씩 하는 걸 들으면, 나도 언젠가 혼자

뭐라도 먹으면 누군가는 나에 대해서도 저렇게 씹어대겠구나,라고
생각하게 되는 이상한 시대가 있었다.
물론 그때도 '남이 그러거나 말거나' 하는 사람도 있었겠지만.

나의 경우, 한국에서 절대 혼자 밥을 먹으러 식당에 들어가지 않는
사람이었다.
캐나다에서 1년 반 동안 살면서 그곳에서는 혼자 먹는 게 당연한
모습이라는 것을 습득하면서 나도 그곳에서는 혼자 밥을 먹을 수
있게 되었다.
견문을 넓히려고 외국에 나간다는데, 난 혼자 먹는 것을 배우러
외국을 다녀왔나 보다.

살면서 아주 중요한 욕구 중 하나가 식욕 아니던가.
혼자라도 배가 고프면 뭘 먹으러 갈 수 있는 사람이 되어 돌아왔으면
그것도 매우 성공적.

이제 '혼밥'하는 것이 당연한 사람들이 많아진 세상이다.
'혼밥','혼술','혼 여행' 등 혼자 하는 사람들이 많아져서 생긴
단어들이다.
나도 그것들을 매우 즐기는 사람이고.

내가 왜 혼자 뭔가를 하지 않는 사람일 수밖에 없었나 과거의 나에게
말한다.

'남의 시선은 정말 아무 쓸데 없는 것,
남의 시선을 의식하며 살 필요 하나 없는 것.'이라고.

길을 걷다가 배가 하도 고파 길가의 다코야키 포장마차에 앉았다.
사장님께 여쭙고 아까 집에 가서 먹으려고 사 둔 맥주 한 캔을
가방에서 꺼내 여섯 알의 다코야키와 함께 먹으며 오늘도 '혼자'를
즐겨본다.

설레는 마음

오랫동안 머릿속으로만, 마음으로만 '해야지, 이렇게 해봐야지', '그래 그렇게 하면 될 것 같아'라고 생각만 하며 미루고 미루던 일을 어느 순간 실행에 옮길 때 문득 마음이 설렌다.
생각만으로는 절대로 아무것도, 아무 일도 일어나지 않는다.
하다 보면 반드시 길이 보이고 길이 보이다 보면 언젠간 대로가 되지
않겠는가.
시작은 그 설레는 행동이다.
행동이 그 설레는 시작이다.

걱정스러운 생각이 행동보다 앞서 아무것도 못 하고 회피하고 있었다.
하지만 가만히 있으면 안 된다는 생각이 머릿속을 가득 채웠고 나는
뭐라도 하겠다고 마음먹었다.
그림 그리기를 즐기고 있던 요즘,
사용하던 재료가 아닌 처음 접하는 재료로 새로운 풍의 그림을
시도해 보겠다고 생각했고, 그것은 생각보다 큰 결심이 필요했다.
싸지 않은 재료를 사 모아야 하고, 어떤 그림을 그릴지 도안을 해
보아야 하고, 스타일을 생각해야 하고, 기획의 의도를 잘 정리해 둬야
한다.

계획적일수록 좋을 때도 있겠지만 지금처럼 나의 욕구가 솟구쳐 오를
때는 굳이 꼭 그렇게 계획적일 필요가 없다.
계획형이지 않은 나는, 머릿속으로만 그려본 계획을 바로 지금
행동으로 옮기기로 했다.
생각만 하다가 어느 순간 '하겠다' 하고 마음을 먹으면, 일분일초라도
빨리 시작해야 마음이 즐겁다.

계속 나를 설레게 하는 내가 좋다.

아직도 내가 진짜로 뭘 원하는지, 잘하는지 잘 모른다.
그렇게 스스로를 궁금해하고, 자주 들여다보고, 마음의 소리를
들어주고, 하고 싶은 것을 찾아주며 성장시키려 노력하는 삶으로 잘
살아가면 되지 않을까?

자주 설렘거리를 찾으면서 살면 되지 않을까 생각해 본다.

혼자 여행

누군가와 약속이나 일정을 정할 필요 없이 혼자 훌~쩍 당일여행을
떠날 수 있는 새벽 비행기.
공항과 멀지 않은 곳에 사는 것이 선물이라는 말이 절로 나온다.

151

첫 비행기를 타러 공항으로 가는 새벽 공기가 주는 상쾌함이 좋다.

비행기가 이륙하기 직전 도움닫기하듯 쿠앙~하며 속도를 낸다. 이때
몸이 등 시트에 푹 파묻히는 느낌이 좋다.
하지만 이륙과 착륙 시 비행기 사고가 일어날 확률이 가장 높다고
하니 어쩔 수 없이 긴장이 된다.
특히 착륙할 때. 이 비행기를 몰고 있는 기장님의 컨디션이 좋은가
나쁜가, 브레이크는 완벽히 손봤나, 바퀴의 나사는 잘 조여있나 등
걱정이 밀려오기도 하지만, 다시금 이런 걱정은 해서 뭐 하냐, 그냥
믿고 가는 거지 한다.

일어나지 않은 일을 걱정해서 무엇하랴, 나는 바로 생각을 전환한다.
착륙해서 빨리 렌터카 찾고 아침에 일찍 여는 단골 고사리 육개장
집으로 달려가 '으음~' 하며 맛있게 먹을 생각으로.

아침 식사 후에 여유 부리며 내가 좋아하는 스폿들로 드라이브하다가
아침 오름 오르고, 미술관도 가고, 바닷가에 앉아 넋 놓고 있다가
배가 고파지면 맘먹고 제일 좋아하는 흑돼지구이를 먹으러 목적지인
식당으로 가서 든든하게 먹는다.
배 두드리며 드라이브, 오름 산책, 멍 때리기를 반복하고, 공항 가까운
곳에 있는 해물뚝배기 식당으로 가서 어쩔 땐 거하게, 어쩔 땐
소박하게 저녁을 먹고, 렌터카를 반납하러 갔다가 일상으로 돌아가는
서울행 마지막 비행기를 타러 공항으로 간다.

하루 일정이 매우 알차다.

이것이 나의 혼자하는 제주 당일여행.

아침 햇살과의 대화

아침에 눈이 일찍 떠져 거실 창가로 가 커튼을 살짝 걷었다.
나무 사이로 아침 햇살이 내게 인사를 한다.

오늘은 잘 잤어?

아니, 좀 설쳤어.

왜 그랬어?

불안과 걱정과 심란함이 내 생각의 꼬리를 붙잡고 놓아주지 않았어.

에고고, 힘들었겠구나.

근데, 지금 너와 대화를 하며 괜찮아진 것 같아.

그래? 다행이네? 왜 괜찮아졌어?

네가 오늘을 데리고 왔잖아. 오늘 내가 할 수 있는 것을 하면 내일도
모레도 그것들이 쌓여 괜찮아질 거라는 믿음이 생겼어.

이렇게 아침에 마음을 다잡고 긍정적인 생각을 하면서 모든 일을
실행하려 노력한다.

그러면 분명히 어떤 일이든 나를 좋은 방향으로 이끌 것이라는
확신을 가지고.

그러니 마음이 좀 편해졌다.

해가 질 때쯤

해가 질 때쯤이 되면 스멀스멀 느껴지는 요상한 외로운 감정이 있다.
이 '외로운'게 일반적인 외로운 게 아니라, 노을이 아름답기도 한데 슬프기도 한, 화려하기도 한데 단아하기도 한, 멈춘 것 같은데 빠르게 변하듯이 '외로운'데 '안 외로운', '슬픈'데 '안 슬픈', '공허한'데 '꽉 찬' 요상한 감정이 올라온다.

우리는 모두 하루하루를 열심히 살고 있다.
싫든 좋든 주어진 하루이기에 그 하루를 열심히 살아 낼 수밖에 없다.
시시각각 고군분투하며 일과 싸우고, 자신과 싸우고, 시간과 싸우고, 타인과의 관계와 싸우고.. 치열한 전쟁을 치르다 보면 어느새 해가 뉘엿뉘엿 지고 있다.
전장에서 무슨 정신으로 살아 나왔는지 모르겠지만,
하늘을 올려다보며 깊은숨을 몰아 내쉬면, 오늘도 잘 살아 낸 나를 칭찬하게 된다.

요상한 외로움을 달래줘야 하니까,
고생한 나를 위로해 줘야 하니까,
맥주 한 캔 사러 편의점에 들른다.

무엇이 바른가

누구나 바르게만 살지는 않는다.
바르고 안 바르고의 기준은 누가 정하는가.

그 기준은, 내가 정해도 된다.

단, 상식 안 이어야 한다.

하지만 그 상식은 또 누가 정했는가.

꼬리에 꼬리를 무는 질문이다.

내 기준은 일단,

살인, 마약, 도박을 하지 않으면 상식선 안이다.

그 외 상식선 안, '바르다'의 기준은 각자의 인성, 교육의 정도,

가정환경의 영향으로 자기가 기준을 정하면 되지 않을까.

나의 일례는,

결혼하지 않은 삶을 산다고 바르지 않은 삶이, 틀린 삶이 아니라는

것이다.

타인의 기준이 내 기준일 필요는 없다.

귀챠니즘

가장 편한 요깃거리.

세 개면 배불러.

한증막에서 구운 달걀.

한증막 갈 때 사 와서 쟁임.

건강식.

유일하게 챙겨 먹는 영양제 하나는, 유산균.

문제는, 내 몸뚱이는 건강한 먹거리로 조금 먹어도 살이 찐다는 사실.

혼자 살아보니 젤 귀찮은 일이 밥 챙겨 먹는 일.

컬러풀 라이프

다채로운 컬러를 보는 것은 나를 즐겁게 해, 화방에 가는 걸
좋아한다.

무궁무진한 재료와 화려한 컬러들을 보고 있노라면 눈이 돌아가는데, 정작 데려오려면 살 용기가 필요할 만큼 재료값은 후덜덜하다.

꼭 필요한 물감 두 개와 붓 하나를 어화둥둥 업고 와서 기분이 째지는,
날씨까지 화창한 어느 토요일.

나는 꽃이 시들지 않기를 바라는 마음을 담아 꽃 그리는 걸 좋아한다.
꽃을 그리며 내가 많이 사용한 색상은 연한 그린 색과 연한 옐로우 색이라는 걸 깨닫는다.
꽃과 잎을 그리며 제일 처음부터 사용해야 하는 가장 기본색.

자꾸 손이 가는 색상은, 화학조미료를 쓰지 않고 만든 음식과 같다는 생각이 든다.
속이 부대끼지 않아 매일 먹어도 질리지 않는 엄마가 해 준 밥 같은.
기본이 잘 다져져야 유연하게 화려함을 표현할 수 있다. 너무 많은 색상이 섞여 만든 색으로 그린 그림은 맑지가 않다.

기본에 충실한 것들에 대한 소중함을 생각하게 된 하루.
기본에 충실한 것이 얼마나 어려운 것인지 생각하게 된 하루.

떨어져 있을 때 예쁜

남의 집 담벼락에서.

고속도로 옆으로.

개나리가 노란 물감을 푼 물이 쏟아 내리는 폭포같이 흐드러지게

흘러내리고 있다.

샛노랗다.

그래서 봄은 노란색이다.

뒷산에 오르면 여기저기 뜨문 뜨문.

또는 산책로 옆으로 쭈욱.

꽃이 져야 이파리가 나오는 진달래가 가지마다 분홍 꽃을 대롱대롱

달고 삐죽삐죽 분홍이를 뽐낸다.

은은하게 핑크다.

그래서 봄은 핑크다.

그런데 참 이상하지.
진달래와 개나리가 섞여 있으면 내 눈엔 그게 예쁘지가 않다.

진달래는 진달래끼리 군락 지어 있을 때 황홀하게 예쁘고,
개나리는 개나리끼리 쭉 줄지어 흘러내리고 있을 때 멋있고 화사하게
예쁘다.

두 꽃이 섞여 있는 곳을 보면 어지러운 방바닥을 보는 것 같은
기분이라고 할까.
가서 정리하고 싶다. 떨어뜨려 놓고 싶다.

사람들도 마찬가지다.
세상에는 여러 가지 모습을 하고 여러 가지 성격을 가지고 여러 가지
성향을 가진 사람들로 이루어져 있다.
뒤죽박죽 섞여있는 레고 주머니 같다.

나는 이제 나와 맞지 않는 사람과 억지로 맞춰가려는 노력은 더 이상
하지 않는다.
그냥 그 사람은 그렇구나라고 받아들이려고 노력한다.
어떤 때엔 떨어져 있을 때 예쁜 관계도 있다.

진달래와 개나리처럼.

이럴 수도 있고 저럴 수도 있지

난 삐딱한 구석이 좀 있다.

평범하지 않은 키 때문에 나는 어느 순간 삐딱이가 되어 있었다.

남들은 부러워서 하는 말이라지만, 다양하고 무례한 질문들을 받는다.

'왜 이렇게 크냐'

'뭘 먹고 이렇게 컸냐'

'뭘 했길래 이렇게 컸냐'

'너무 크다'

'무슨 여자가 이렇게 크냐'

등등.

이런 말을 많이 듣고 살다 보면 마음에, 정신에 어떤 모양으로든,

어느 깊이로든 상처가 남는다.

그래서 생기게 된 나의 개똥철학,

'남의 사'

나는 타인의 외모에 대한 칭찬도, 질문도 하지 않는다.

사람 모양새가 이럴 수도 있고 저럴 수도 있지.

세월이 흘러 시대가 변하니 이제 나처럼 큰 사람들이 많아졌다.

그래도 나는 아직도 듣는 말들이다.

그런데 이제는 내가 무던해진 걸까?

사람들 표현이 이럴 수도 있고 저럴 수도 있지. 한다.

밤산책

하루 일정을 잘 마치고 자려고 잠자리를 펴고 눕는다.

피곤한 날 밤이니 잠을 잘 자겠구나 했는데, 나의 기대를 저버리고

머릿속의 잡다한 생각들이 둥둥 떠다니기 시작하더니 꼬리의 꼬리를

문다.

곧 답 없는 걱정과 두려움이 밀려올 거라고 예상된다.

나를 믿지 못하면 생기는 걱정과 두려움이다.

자리를 털고 일어나 운동화를 신고 산책을 나선다.

걷다 보니 약 14,000보가 되었다.

밤거리에서 뜻밖에 만난 화려하게 조명 받은 교각이 내게 말한다.

'괜찮아 다 쓸데없는 걱정이야.

그냥 지금을 소중하고 가치있게 살면 그런 매일이 차곡차곡 쌓여 튼튼한 버팀목이 되어 있을 거야.

그리고 그 튼튼한 삶에 화려하고 찬란한 일이 펼쳐질 거야. 너를 믿어봐. 잘 하고 있어.'

170

웬 떡이냐

매일 마인드 셋, 동기부여, 명언 쇼츠들을 찾아서 보다 보면 자기계발서와 같이 관통하는 몇 가지 말이 있다.

1.현재가 선물이다. 지금을 충실히 살아라.

2.모든 것은 결국 내 마음먹기 나름이다.

3.스스로 한계를 뛰어넘어야 한다.

4.포기하지 마라. 꾸준함이 답이다.

5.감사하라.

등등, 더 있지만 내 마음에 담아진 것 몇 가지를 기록해 본다.

오늘 본 책에서는 속독에 관한 이야기를 해 주는데, 속독이 꽤나 긍정적인 성취감을 안겨준다는 글귀에, 나도 훈련을 좀 해봐야겠다는 생각을 하게 되었다.

보통 단어 하나하나를 다 읽으려 하다 보면 시간만 늘어지고 그러면 지치게 되고, 독서에 대한 부정적인 인식이 남게 되니, 빠르게 읽는 훈련을 통해 한 권을 다 읽어내는 성취감을 느껴보는 것이 좋겠다.

처음에는 헬스장에서 마치 웨이트 늘리는 것처럼, 자기와의 싸움인 것처럼, 훈련을 통해 습관화가 되면 만족감이 클 것이다.

속독을 훈련해 보겠다는 나의 결심은 결국 책을 읽고 책에서 말하는 것 무언가 하나를 실천해 보려는 나의 의지가 생겼기 때문이 아니겠는가.

책을 읽으며 스스로 발전시킬 수 있는 필수 요소는 읽은 책을 통해 배운 것을 한 가지만이라도 실천하는 것 아니겠나 생각해 본다.

독서가 주는 꿀떡이다.

한 끼

어려서부터 아침 점심 저녁, 삼시 세끼를 꼭 챙겨 먹은 나였다.
부모님과 오랜 시간 함께 살면서 누린 혜택이다. 엄마의 사랑 가득한
삼시 세끼.

모든 반찬과 음식을 손수 만들어 차려 주시던 엄마의 사랑 덕에 난 늘 건강한 재료로 만든 건강한 음식으로 내 곯은 배를 가득 채웠다.
지금은 그 사랑 가득한 한 상을 먹을 수 없게 되었다.
너무도 귀한 추억의 상, 다시는 만날 수 없는 엄마 밥상이 되어 버렸다.

혼자 살면서 삼시 세끼를 다 차려먹는 것이, 그리고 차려주는 것이 얼마나 힘들고 귀찮은 일인지 절실하게 느낀다.
시간과 노력, 그리고 재료비까지 모두 부담이다.
처음에는 이것저것 만들어 먹기는 했지만, 시간이 지날수록 음식을 만들고, 먹고, 설거지를 하는 것까지. 모든 과정에 쏟는 시간이 아깝다는 생각을 하게 되었다.

그래서 이젠 최소한의 식재료를 산다.
쌀, 계란 30구, 포기김치, 버터, 식빵, 간장, 참기름, 식용유.
비벼 먹기 딱 좋은 최소한의 재료들.
세 번 다 해 먹기는 너무 힘들고 귀찮아서 하루 한 끼를 먹게 되었다.
그래도 밥은 꼭 새로 해서 먹는다.
엄마가 늘 해 주시던 '갓 지은 따뜻한 밥'을 먹는 습관.
그건 놓칠 수가 없다.

나의 소중한 따뜻한 한 끼.

174

살

이상하다.

살이 찌면 유난히 꼭 이런 말을 듣는다.

'키가 더 컸어?'

띠로리…

이런 말을 들으면 가차 없이 내가 살이 쪘단 얘기다.

아마도 발바닥에도 살이 쪄서 정수리가 조금 더 위로 상승했나 보다.

평생 뚱뚱하다고 생각하고 살았다.

그래서 늘 살이 찔까 걱정하고, 뚱뚱해서 어떡하지 하며 살았다.

내 체형은 모델들의 체형과 달라서 키가 커도 늘 남들보다 더 커 보였고, 남들보다 더 통통해 보였다.

세월이 흐르면서 살이 많이 찐 지금,

문득 과거의 사진들을 찾아 돌아보니, 생각보다 말라 있고, 말라서 되려 너무 날카로워 보인다.

정말 쎈언니 포스다.

지금 행복이 쪄서 뚱뚱한 내가 더 낫다.

마르려고 노력하지 않으려 한다.

그냥 건강하게 뚱뚱하게 살아도 되지 않을까.

뭐 예뻐 보일 곳도 없고 말이다.

아! 그래도 조금만 빼면 조금은 좋을 듯.

건강을 위해서~

10분 뛰기

뛰는 거 정말 싫어.

숨찬 거 진짜 싫어.

하지만 운동을 전혀 안 하고 살 수는 없다는 것을 안다.
힘들지만 시도해 보기로 결심했다.

혼자 사는 사람은 스스로 케어해야 하기 때문에 더 건강을 챙겨야
한다.
뛰는 걸 싫어하지만, 싫어하는 걸 극복해 보기로 한다.

동네 짐에 등록하고 런닝머신에 오른다.
너무 큰 목표와 계획은 부담스러울 테니 이렇게 생각하기로 한다.
'작심삼일이라도 작심삼일이 계속되다 보면 한 달이 되고, 일 년이 될
것이다' 라고.
한 번에 한 시간씩 뛰겠다고 목표를 잡으면 매일 힘들어서
부담스러울 것이다. 그러니 하루 10분만 뛸 생각으로, 짐에 매일 가는
것을 습관화하겠다는 마음으로 가볍게 접근해 보기로 한다.

그렇게 하루하루가 쌓이다 보면,
체력이 증진되고 습관으로 잡힐 것이다.
모든 일에는 마음의 부담이 가장 큰 적이다.
부담이 크면 잘 할 일도 못하게 된다.

10분 뛰기부터 시작하는 것이다.

해소

마음이 무거운 날들이 계속되었다.

미술 크루를 만나서 그림을 그렸다.

목탄으로 그림을 그리라 한다.

몰두하는 시간이 이렇게 강력한 위로가 되어 주다니!
손이 더러워지는 것도 신경 쓸 일이 아니다,
난 그저 이 그림들을 잘 완성하는 것에만 집중하면 되었다.

그림을 다 그리고 난 후, 난 마음에서 목탄처럼 아주 까맣게 자리
잡고 있던 그 무언가가 시원하게 해소가 되는 것을 느꼈다.

이 기분은 마치 실오라기 하나 걸치지 않고 바다수영을 하는
기분이랄까?

시원한 해방감.

VIP석

대중교통을 탈 때 멀미가 심하다.

냄새에 민감한 이유와, 닫힌 공간에 많은 사람이 모여 있으면

사람들이 뿜어내는 이산화탄소가 산소를 부족하게 해서 어지럼증이

발생한다.

컨디션이 안 좋으면 더 그렇다.

지하로 다니는 지하철보다 실외로 다니는 버스를 더 선호하는데,

버스를 탈 때 내가 제일 좋아하는 자리는,

버스를 오르자마자 왼쪽 줄의 첫 번째 의자이다. 즉, 바퀴 위에 붙어

높은 곳에 있는 자리다.

기사님과 같이 큰 앞 유리를 통해 전방을 시원하게 볼 수 있기

때문이기도 하고, 가장 앞자리가 멀미가 제일 안 나기 때문이기도

하다.

키가 큰 나는 다리가 길어 그 자리에 껑충, 잘도 올라탄다.

친구와 만나 매우 즐겁고 유의미한 시간을 보내고 집으로 귀가하는

늦은 밤 버스,

운 좋게 나의 애착 자리가 비어 있어 기분 좋게 껑충 올라앉았다.

시원하게 뻗은 강남대로를 달리는데 시야는 시원하고 야경이 예뻐서

기분이 너무 좋았다.

하지만 그 기분도 잠시.

몇 정거장 지난 후 강남역에서 승차한 많은 사람들이 버스 안을 가득

메었고, 누군가 뿜어내는 삼겹살과 마늘 그리고 알코올의 냄새, 어떤

이의 옷에서 나는 장롱냄새 (옷에 베인 오래된 나프탈렌 냄새)가

뒤섞여 내 속을 가차 없이 뒤집어 놓았다.

계속 멀미가 나서 너무 힘들었다. 하지만 어쩌랴, 참아야 하는 것이지. 마스크를 쓰고 좋은 생각으로 머리를 가득 채웠다. 집에 도착하면 깨끗하게 샤워를 할 거야, 향이 좋은 바디샴푸를 오랜만에 꺼내서 사용할 거야, 따뜻한 차 한 잔을 마시고 푹 잘 거야 같은.

오늘은 버스 속 나의 VIP석이 너무도 힘든 자리였지만, 괜찮다. 오늘 하루도 전체적으로는 매우 소중한 하루였으므로.

자랑스런 나의 친구

혼자서도 마신다.
혼자 마셔도 맛있다.
혼자 마시는 것이 틀린 건 아니다.

혼자 마신다고 위험한 것만은 아니다.

나에겐 혼자 마시면 좋은 점이 있다.

가만히 생각을 정리할 수 있다.
그림도구를 꺼내 와 그림도 그린다.
마음속 하고 싶은 이야기를 글로 써 내려간다.
마음껏 나에게 집중할 수 있다.
내 속에 있는 여러 가지 모습의 나를 만나러 다닐 수 있다.

시원하게 기록하고 기분 좋게 잠에 들고,
잘 자고 일어나
어제 내가 만난 여러 모습의 기록 속의 나를 다시 만나보면
스스로 다독이며 강해지고 있는 내가 대견하다.

내 안의 내가 모두 내 자랑스런 친구다.

골프에 진심이었던

성인이 되어 취미로 골프를 시작했다.

은근히 나의 승부욕을 자극하는, 잘 치고 싶은 욕심이 치솟아 오르는

종목이었다.

죽은 공을 살려서 날려 보내야 한다는 점이 너무 어려웠다.
까다롭고 예민한 운동이다.

그래도 한 가지 확실하게 배워 둔 것은 폼이다. 프로가 제대로 예쁘게
빚어 주었다.
누가 봐도 예쁜 폼.
다시 시작해도 어디 가지 않는 기본. 폼, 자세.
모든 운동은 폼이 중요하고 기본이 중요하다 하지 않던가.

하루에 약 4시간 동안 연습할 정도로 골프라는 운동에 흠뻑 빠져
살았고, 자주 라운딩을 하고 싶은 마음에 골프 모자를 사 모았었다.

최근에 옷장을 정리하다가 눈에 띈 폴로 모자들을 보니, 한참 잊고
지냈던 골프에 대한 나의 열정이,
그때 연습만 해도 좋았던 기억들이 주마등처럼 스쳤다.

지금은 나의 최고의 코치, 엄마가 계시지 않아 골프의 재미를 잃은
상태지만,
늘 어려서부터 세뇌가 되어있는,
'넌 골프 시킬 거야'란 말 덕분에 난 늘 골프에 대한 애정을 가지고
살고 있다.

지금은 쉬고 있지만,

난 언제든 내 클럽과 골프모자를 챙겨들고 필드로 나가서
드라이브를 휘두르는 나의 모습을 머리에 담고 있다.

실버 라이프가 즐겁기 위해 지금, 오늘을 더 열심히 살아보자.

나의 또 한 번의 도전에 힘을 보태다

나의 첫 홈베이킹, 키쉬.

1999년에 캐나다에 머물 때, 캐나디언 친구의 홈 파티에 초대를 받아

참석한 적이 있다.

그녀가 내어 온 음식들이 참 많았던 걸로 기억하는데, 밀레니엄
시대가 오기 전이었는데도(오! 놀라운 세월의 흐름) 그중 나의 뇌리에
박혀 있는 음식 하나는 바로, 키쉬.
한 입 베어 문 순간, 어머!
건강한 맛이면서 자극적인 맛이 정말 인상적이었다.

후 오랜 시간이 지난 지금까지 우리나라에서 키쉬를 본 적도, 먹어 본
적도 없는 것 같다.
아마 만들어 먹는 사람들은 많았겠지만,
또 판매하는 베이커리들도 있었겠지만,
나의 경험 부족으로 못 만나 봤고 못 먹어 봤다.
요즘에 갑자기 그 옛 맛이, 그 옛 추억이 떠오르며 내 입맛에 맞는
키쉬가 먹고 싶어졌다.
레시피들을 찾아 살펴보니,
만드는 사람마다 그 레시피도, 방법도, 재료도, 모양도, 크기도
제각각이었다.
마치 각 집마다 김밥 재료가 다르고 맛도 다른 것과 같은 느낌이었다.

그렇다면 이렇게 키쉬가 먹고 싶은 이참에 나도 내 맘대로 내 맛대로
내 멋대로 만들어 보겠다고 마음을 먹었다.

해 보고 싶은 건 해 봐야지.

오직 키쉬를 해 먹겠다는 일념 하나로
중고거래를 통해 미니오븐을 1만 원에 구입했다.
다른 베이킹은 엄두가 나지 않으므로 작은 키쉬를 자주 해 먹을 미니
오븐이면 충분하다고 생각했다.

양파, 베이컨, 생지, 팽이버섯, 새송이버섯, 시금치, 달걀을 사서 미리
봤던 동영상들을 머리에 떠올리며 뚝딱뚝딱 만들었다.
계량도 내 맘대로, 크기도 내 맘대로, 방법도 내 맘대로, 모든 걸 내
맘대로 해 보았다.
지지고 볶고 담고 뿌리고 오븐에 넣어 구웠더니,

타라~

성공적!

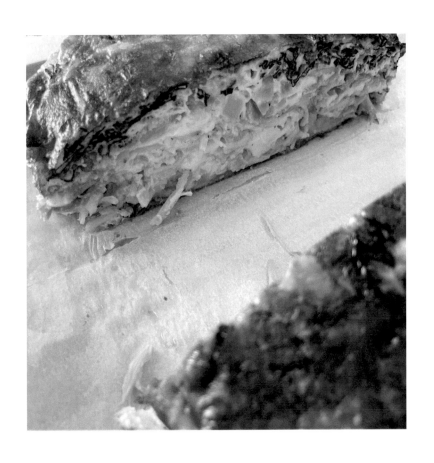

처음 해 본 거라 맛이 어떨지 모르겠다.

혼자 먹기에 너무 많아 조각을 내어 종이 호일로 포장해서 여기저기

나누어 주며 맛 보여 주었는데,

다들 엄지를 척 들어 올려 주었다.

도전해 보고 싶은 것이 있다는 것,

도전해 볼 용기를 낸 것,

도전이 성공적이었다는 것,

주변 사람들에게 나눌 수 있었다는 것,

앞으로 나의 괜찮은 한 끼로 만들어 먹을 수 있다는 것.

이 모든 것이,

내가 실행을 옮겼기에 느낄 수 있는 감정이 아니겠나.

이렇게 작은 것 하나하나에 좋은 감정을 느끼며 하루하루 행복을

찾으며 살아가면 되지 않겠나.

또 다시 시작 = 용기

혼란의 시간을 무사하게 건너고 싶었다.

숨을 쉬려 물에 떠오르고 싶어도 엄청난 수압에 눌려 떠오를 수 없는
기분이었고,

휘몰아 흐르는 물살에 휩쓸려 온몸에 상처가 남았고,

정신 차리고 살려고 물속 수풀을 잡고 허우적 거려도 가라앉았다.

갑자기 시대가 변하고 있는 때.

나의 신변에도 큰 변화가 있었고,

슬펐고, 아팠고, 어지러웠다.

처음 겪는 생에 큰일을 어떻게 이겨내야 할지 몰라 바닥으로
가라앉았고,

모든 것을 잃은 기분이었고,

다 잃고 홀로 살아가야 함을 절실하게 알게 되어 어둡고 짙은
망망대해 위에 맨몸으로 둥둥 떠 있는 기분이었다.

힘들었던 시기를 이겨내기 위해 새로운 것에 끊임없이 도전했다.

나의 업에서 마음을 뗄 수는 없지만 온전히 몸을 담글 수도 없었다.

점점 자신감이 없어졌기 때문이다.

다시 나의 업으로 돌아가자고 마음먹은 것이 4년 만이다. 내가
좋아하는 내 일.

4년 동안 마음을 다듬었고, 강해지려 담금질을 했고, 단단해지려
힘차게 두드려 팼다.

고마운 친구들이 내 옆을 지켜 주었고,

나에게 힘을 불어 넣어 주었고,

일으켜 세워 주었다.

실패해도 된다.

겁이 나서 웅크려 있으면 실패할 확률도 성공할 확률도 0이다.

겁을 내며 주춤거리는 건 내가 나를 못 믿는다는 것.

힘든 시기이지만 가만히 있는다고 솟아날 구멍이 생기지 않을 것이라는 걸 안다. 그러니 다시 움직일 용기를 갖고 '그냥 하는 거다'.

하다 보면, 집중해서 임하면, 나를 믿으면, 어떤 방법으로라도 내게 보이는 길이 있을 것이다.

아무것도 일어나지 않는 삶이 얼마나 지루하고 재미없는지 난 안다.

재미있게 살고 싶다.

잘 결정했어.

부지런하게, 충실하게 시간을 사용하자.

다시 시작할 마음을 가진 용기를 축하해~!

일! 하자.

내 일.

손유진이 본 일상애(愛)say

이 책을 기획하는 단계부터 가슴이 뛰기 시작했다.
작가님들의 일상을 엿볼 수 있다는 생각에서였나보다.

일상을 사랑하는 마음으로 두 달을 기록해보자고 했다. 역시 예상대로
작가들의 일상은 사랑스럽다.

매일 반복되는 것 같지만, 그 속에는 각자의 고유한 이야기가 담겨 있
었다. 하루의 시작을 알리는 햇살을 사랑하는 작가, 소중한 사람들과
의 대화를 즐기는 작가, 책 속에서 위안을 찾는 작가, 아이들의 웃음
소리에 행복을 느끼는 작가, 그리고 자신만의 취미에 몰두하는 작가.
모두가 자신의 일상을 소중히 여기며, 그 순간들을 사랑으로 기록했
다.

작가님들의 글과 사진을 보며, 나 역시 일상의 소중함을 다시금 깨닫
게 되었다. 우리는 때때로 바쁜 일상 속에서 작은 기쁨과 감동을 놓치
곤 한다. 그러나 이 책을 통해 일상을 사랑하는 마음을 다시금 일깨워
주었다. 사랑하는 사람들과의 대화, 좋아하는 책을 읽는 시간, 아이들
의 웃음소리, 그리고 나만의 시간을 보내는 순간들이 얼마나 소중한지
다시 한번 느낄 수 있었다.
작가님들의 이야기를 읽으며, 나는 그들의 일상 속으로 여행을 떠난

듯한 기분이 들었다. 그들의 일상을 통해 나의 일상을 돌아보고, 소중한 순간들을 마음속에 새기게 되었다.

일상의 작은 순간들이 모여 우리의 삶을 더욱 풍요롭게 만든다는 것을 알아차리는 시간들이다.

여러분도 자신의 일상을 사랑의 눈으로 바라보게 되기를 바란다. 바쁜 하루 속에서도 잠시 멈춰서, 소중한 순간들을 느끼고, 그 순간들을 마음에 새겨보자.

우리의 삶은 이러한 작은 순간들이 모여 이루어진다는 것을 잊지 말자. 일상을 사랑하는 마음으로 앞으로의 날들도 소중히 살아가기를 바란다.

감사합니다.

2024년 봄과 여름사이,
일책성장 리더 손유진